读客悬疑文库

认准读客读悬疑，本本都是大师级。

间谍的墓志铭

[英] 埃里克·安布勒 著　　王冬佳 译

Eric Ambler
EPITAPH FOR A SPY

江苏凤凰文艺出版社
JIANGSU PHOENIX LITERATURE AND
ART PUBLISHING

图书在版编目（CIP）数据

间谍的墓志铭 /（英）埃里克·安布勒
(Eric Ambler) 著；王冬佳译 . —— 南京：江苏凤凰文
艺出版社，2022.12
　书名原文：Epitaph for a spy
　ISBN 978-7-5594-6056-1

　Ⅰ.①间… Ⅱ.①埃… ②王… Ⅲ.①长篇小说 – 英
国 – 现代 Ⅳ.① I561.45

中国版本图书馆 CIP 数据核字 (2021) 第 115083 号

EPITAPH FOR A SPY by Eric Ambler
Copyright © Eric Ambler Literary Management Limited, 1938
Published by agreement with Peters, Fraser and Dunlop Ltd. through Andrew
NURNBERG Associates International Limited.
Translation copyright © 2022, by Dook Media Group Limited
ALL RIGHTS RESERVED

间谍的墓志铭

[英]埃里克·安布勒　著　　王冬佳　译

责任编辑	王昕宁
特约编辑	徐於璠　　徐陈健
封面设计	李子琪
责任印制	刘　巍
出版发行	江苏凤凰文艺出版社
	南京市中央路 165 号，邮编：210009
网　　址	http://www.jswenyi.com
印　　刷	河北鹏润印刷有限公司
开　　本	890 毫米 ×1270 毫米　1/32
印　　张	8
字　　数	198 千字
版　　次	2022 年 12 月第 1 版
印　　次	2022 年 12 月第 1 次印刷
标准书号	ISBN 978-7-5594-6056-1
定　　价	42.00 元

江苏凤凰文艺版图书凡印刷、装订错误，可向出版社调换，联系电话：010-87681002。

目　录

1

被　捕

8月14日，星期二，我从尼斯出发，抵达圣加蒂安。16日上午11点45分，我被身着便衣的警卫和巡警逮捕，带到了警察局。

寥寥几行字，写起来很容易。等我在桌旁坐下，看着眼前这页纸，心里好奇，看过这些字后，会有怎样的反应。就在不久前，单单瞄上一眼，都会让我心率陡增，恨不得直奔到大街上，待在人群中，吸几口马路上的灰尘，安慰自己不再是孤零零的一个人。不过此刻，我已经可以做到将这些字写下来，它们再不会挑起我敏感的神经。看来，心病是可以快速治愈的。抑或，是否可以这样理解：每一段经历都只是人生的一部分，并不是整个人生；今日看来，貌似一段简短、平直的线条，来日再看，不过是整个圆形当中的一小部分？席姆勒先生一定会同意这种说法。不过，他已回德国，且我觉得，恐无缘再见。提及此事，我觉得也不太可能再见到其他几个人。几周前，我收到其中一人的来信。信件由储备酒店的新任经理转交给我，信中回顾了我们一起度过的"快乐时光"。末尾，他请求我借予他100法郎。时至今日，我都没有回信。即便我和这位写信的人有过一段快乐的时光，也早就记不得了。再者，我也没有钱借给他。之所以提笔写这篇故事，这也算是其中的一个缘由。至于另一缘由……还须您自己判断。

从土伦到拉西约塔，绵延数公里的铁路紧靠着海岸线。这一区域的铁路线贯穿了无数条短隧道，火车穿梭其间，在眼帘一闪而过的有下面那片波光粼粼的蓝色大海，有红色的岩石，还有那点缀在松林间的白色房屋。仿佛是在观看一场神奇的灯光秀，放着色彩强烈的片子，而且播放师可是个急性子。眼睛根本无暇品味细节。若您听说过圣加蒂安，此刻正要仔细欣赏一番，恐怕除了储备酒店的鲜红色屋顶和浅黄色灰泥墙以外，什么都看不到。

我早就从一位巴黎的朋友那里听闻过圣加蒂安这个地方，了解过那里的食宿费标准。储备酒店的烹饪手艺堪称一绝，听人说酒店的客房舒适，环境宜人。目前看来，还没有多少人"发现"圣加蒂安这个地方。在储备酒店，每天花上40法郎的食宿费，就可以过得很好。

于我而言，每天40法郎可是一笔极大的开销，然而，在储备酒店待过两天之后，我就再也不为自己铺张浪费的行为感到懊恼了。不仅如此，我甚至开始追悔，早知如此，这三周假期都待在这里好了，不用中途再返回巴黎。说来，储备酒店是那种宜人的小型酒店。

圣加蒂安村散落在小岬角的背风侧，酒店就建于岬角之上。与其他绝大多数地中海渔村一样，房屋的外墙涂着白色、蛋壳蓝或者玫瑰粉色的薄层涂料。有一片岩石型高地，遍布松树的斜坡在海湾对面与海岸相接，对小港口形成庇护之势，使其免受密史脱拉风（时而会从西北方向强劲地刮过来）的侵袭。这里人口仅743人，绝大多数以捕鱼为生。有两家咖啡馆、三家酒馆、七家商店，再远些，绕过海湾，还有一处警察局。

那天早上，我坐在露台的一端，从那个位置是看不到警察局和村子的。酒店坐落在海岬的最高处，露台沿酒店南侧而建。露台那边，是一处高约15米的峭壁。长在下面峭壁上的松树挥舞着枝丫拂扫着露台扶手上的栏杆。不过，离这里再远一些，地平面就又升了起来。在那平淡枯燥的绿色灌木丛中，几处红岩裂缝赫然凸显出来。在深蓝色大海的强烈衬托下，几棵在风中摇曳着的柽柳正百无聊赖地摇摆着树枝。海水撞击着下面的岩石，偶尔会激起一片白色的浪花。气氛宁静而安好。

天气已经热了起来，蝉儿们在酒店旁边的梯台式花园中鸣叫。稍一歪头，目光就能越过露台扶手上的栏杆，望到储备酒店的小型海滨浴场。沙滩上支着两顶彩色遮阳篷。其中一顶遮阳篷下面伸出两双腿来，一双女士的，一双男士的。两双腿呈深褐色，看上去年轻而有活力。与此同时，传来一阵微弱的嘈杂声，看来，在视线以外的地方，在浴场某处阴凉下，还有别的客人。一艘小艇倒置在支架上，花园的园丁正在给小艇舷缘的周围描画蓝色条带，只见他戴着一顶硕大的草帽，头和肩膀都可以躲在里面避开阳光。一艘摩托艇正从海湾的远端朝海岬这边驶来，就要到达浴场。等它再近一些，我才看清楚艇上那个又瘦又高的人，原来是科赫，储备酒店的经理，他正伏在舵柄上。艇上还有一个人，他穿着赤褐色的帆布裤子，我猜，应该是村里的渔民。看样子，他们应该是天刚亮就出海了。或许，今天午饭能吃上羊鱼。远处海面上，一艘从马赛开往维勒弗朗什的"荷兰-劳埃德号"班轮正驶了过去。

我在想，明晚我就得打包行李，星期六一大早乘公共汽车到土伦，再去赶乘前往巴黎的火车。火车将在一天之中最热的时候驶进阿尔勒，到那时，我就只能老老实实地坐在三等车厢那硬邦邦的皮座上，而且到处都会落着一层尘土和烟灰。到了第戎，我怕是会又累又渴。千万要记得随身带一瓶水，或许还可以在里面加一些酒。这样一来，我就能一路畅快地到达巴黎。可是，畅快不多时。因为从里昂火车站站台到地铁站台，我要走很长的路。到时候，行李箱会很沉。先乘坐从讷伊开往协和广场的地铁，然后换乘。乘坐从伊西开往蒙帕纳斯的地铁，再换乘。再乘坐从奥尔良门开往艾雷西亚的地铁，最后出站。接下来，便是前往蒙鲁日宫廷大道的波尔多酒店。到了星期一早上，东方咖啡厅餐柜里摆好了早餐，接着，又一次地铁之旅开始了，从丹费尔-罗什洛到埃图瓦勒，然后是沿着马索大道步行一段距离。马西斯应该早就到了。"早上好，瓦达西先生！看上去气色不错。您这一学期要教授的科目有初级英语、高级德语和初级意大利语。我本人教高级英语。这学期新来了十二名学生。三名商人，九名餐厅人员（他从不称呼他们为服务员）。都是来学英语的，没有人愿意学匈牙利语。"又一学年开始了。

不过，此时此刻，有松林和大海，有红岩和沙滩。我舒舒服服地伸了个懒腰，正巧，一只蜥蜴从露台的瓷砖地面上横穿过去。只见它骤然停下了，在我椅子投射的阴凉之外晒太阳。我甚至都能看清它喉咙处跳动的脉搏。蜥蜴的尾巴卷成了一个标准的半圆，正好跟两块瓷砖之间的分割线相切。蜥蜴的设计灵感还真是奇妙。

正是这只蜥蜴，让我想起了我的那些照片。

在这个世界上，我只有两件值钱的东西。一件是一架照相机，另一件是戴阿克[1]在1867年2月10日写给冯·博伊斯特[2]的一封信。如果有人愿意出钱买那信，我应该会欣然地接受；但那架相机，我太喜欢了，除非到了食不果腹的地步，否则我是不会让它离开我身边的。我倒不是什么出类拔萃的摄影师。的确，巴黎"年度摄影"展曾经收录过我的一张作品；但是，每个搞摄影的人心里都清楚，只要有一架优质的微型照相机、足够多的胶卷，再加上少许专业知识，哪怕是业余摄影师，迟早也能拍出好的照片。就像他们在英国会展中心参加的其他技巧类活动一样，这种事主要是看机遇。

在储备酒店这几天，我一直在拍照，而且就在前一天，我还将一卷

1　费伦茨·戴阿克（Ferenc Deák, 1803—1876），匈牙利政治家、改革运动领袖。——译者注（本书注释如无特别说明，均为译者注。）

2　弗里德里希·斐迪南·冯·博伊斯特（Friedrich Ferdinand von Beust, 1809—1886），萨克森首相和外交大臣，后为奥匈帝国首相和外交大臣。

已经曝过光的胶卷带到村子里一家药店去冲洗。现如今，按常理讲，我不应该心心念念地想着让别人给我洗胶卷。作为业余摄影爱好者，一半的乐趣来自自己冲洗胶卷。但是，我一直都在做着某种尝试，如果离开圣加蒂安之前连结果都没看到，恐怕今后就不会有实践运用的机会。那么，结果到底如何，就要看药剂师的了。他似乎听懂了我的意思，还仔细地把我的要求记录下来。到11点钟，底片就能洗出来晾干了。

我看了看表，时间是11点30分。如果现在动身去药店，还有时间赶回来游个泳，午饭前来点儿开胃酒。

我起身下了露台，绕过花园，又踏上石阶，到了马路上。此时，烈日当空，万物经受着暴晒，柏油路上方的热气流徐徐地向上飘。我没戴帽子，伸手一摸，才发现头发被烤得滚烫。我只好把手帕拿出来盖在头上，先走上山，而后又来到通往港口的主街上。

药店里很凉快，有一股香水和消毒水混在一起的味道。还没等门铃声息止，药剂师就来到柜台前招呼我了。我与他目光相接，只是他似乎没有认出我。

"先生，请问您有什么事？"他用法语问道。

"我昨天拿了一卷胶卷来您这里冲洗。"

他缓慢地摇了摇头。

"还没洗好。"

"说好11点钟来取。"

"还没洗好。"他语气沉稳地重复道。

我沉默了一会儿。药剂师的神情举止让人有点儿捉摸不透。他戴着一副眼镜，一双眼睛被厚厚的水晶镜片放得老大，一直盯着我。眼神着实古怪。后来，我才明白那眼神的意思。原来，他是害怕。

我还记得，发现他惧怕我之后，连我自己都被惊到了。他居然害怕我——活了这么多年，都是我惧怕别人，如今，居然有人惧怕起我来！我真想开怀大笑一番。不过，我心里还是有些恼火的，因为我自认为已经猜到了事情的原委。他把我的全色胶片放进了普通的冲洗机里，给搞砸了。

"底片还好吗？"

他猛点了几下头。

"再好不过了，先生。就是还没晾干。先生，如果您能行个方便，请把姓名和地址留给我，等一切妥当了，我立马让儿子把底片给您送去。"

"没关系，我再打电话跟您约吧。"

"不费什么事的，先生。"

他的语气中带着一种怪异的急迫感。我倒觉得无所谓。即便他把胶卷弄坏了，又像个孩子一样不愿亲口将坏消息讲出来，那都是他的事，问题不在我。听天由命，这次尝试，我已经做好了失败的准备。

"好吧。"我把姓名和地址留给他。

他一边写一边大声重复着。

"瓦达西先生，储备酒店。"他的声调降了一些，用舌头舔了舔嘴唇，接着又说，"照片一洗好就给您送去。"

谢过他之后，我就朝店门走去。这时，一个人迎面站在我跟前，只见他头戴一顶巴拿马草帽，身穿一套不合身的黑色礼拜日套装。道路狭窄，我见他没有让路的意思，就小声表示了一下歉意，打算从他身边挤过去。可正当我要过去时，那人用手拉住了我的胳膊。

"瓦达西先生吗？"

"有什么事吗？"

"您得跟我去一趟警察局。"

"那是为什么？"

"只是护照手续出了点儿小问题，先生。"他的语气既客气又严肃。

"那么，不是应该回酒店去取护照吗？"

他没有回答，而是朝我身后递了个眼色，又略微点了一下头，几乎让人察觉不到。这时，一只手紧紧地抓住了我的另一只胳膊。我回头一看，身后的店门口站着一位身着制服的警卫。药剂师早就没了踪影。

两人用手推着我往前走，力道并不十分轻缓。

"我不明白。"我说道。

"你会明白的，"便衣人撂给我这么一句，"快走！"

终于，他不再客气了。

2

审　问

前往警察局的途中，谁都没有讲话。刚开始，那名警卫耍了阵威风，后来他放慢了脚步，退到后边，让我和那位便衣人走在前头。我觉得这样挺好，我可不想像小偷一样被他们押着满村走。可事已至此，我们一行人还是引来了一些好奇的目光，我还听到两个路人开玩笑地提到了violon[1]这个词。

法语的俚语还真是晦涩难懂。警察局和小提琴根本没有可比拟之处，很难想象，哪里还有比这二者关联度更低的事物。在圣加蒂安，要说实在丑陋的建筑，只有一处，那是一栋令人生畏的立方体建筑，由脏兮兮的混凝土建成，窗户小得像眼珠子一样。它就在离村子几百米远的海湾那边，据说（事实亦如此），它的规模能容纳一整个区域的警务管理部门，圣加蒂安正处于这片区域的几何中心。实际上，圣加蒂安也是整个区域中规模最小、最守规矩、最落后的村子，不过很显然，当局并不在意这些。圣加蒂安以警察局为傲。

我被带去的那间屋子除了一张桌子和几张木凳子以外什么都没有。便衣人一副自命不凡的样子走开了，剩下我和旁边那名警卫坐在木

1　法语单词，既可指"拘留所"，也可指"小提琴"。结合语境，此处应指"拘留所"，但下文中"我"将其理解为"小提琴"。

凳上。

"办这项业务需要很长时间吗？"

"不许讲话。"

我望了望窗外。海湾那边，我能看到储备酒店海滨浴场上的那两顶彩色遮阳篷。看来是没有时间游泳了。不过，我或许能在回去的路上随便找家咖啡厅喝杯开胃酒。毕竟，这事太让人不痛快了。

"坐好！"守在旁边的人突然说道。

这时，门开了，一位年长者从里面出来，只见他耳朵上卡着一支笔，没戴帽子，敞着怀，正叫我们过去。我身旁的那名警卫立了立衣领，把上衣拉平整，又正了正帽子，用力（其实根本没必要）抓住我的胳膊，把我带进走廊，到尽头的一间屋子前停下。他上前利落地敲了几下门并打开。随后，他就把我推了进去。

我能感觉到，脚下是一张磨旧了的地毯。对面摆着一张桌子，桌上凌乱地放着一些纸张，坐在桌子后面的是一个戴眼镜、貌似生意人的矮个子男人。他就是这里的警长。桌旁有一把小椅子，一个身穿蚕丝西装的大块头男人正像个楔子一样坐在上面，手臂弯曲着。那人的脖子周围长了好几圈肥肉，肥肉上留有剃过的灰褐色胡楂，除此之外，整个脑袋的其他地方都光秃秃的。他脸上的皮肤松弛下垂，耷拉出几道厚褶，就连嘴角都被拽着下沉了许多。这倒让他那张脸上有了些许秉公执法的气度。他的眼睛特别小，眼皮重重地垂着。此时，他正汗如雨下，不停地用一张卷起来的手帕擦拭衣领周围的汗，看都不看我一眼。

"约瑟夫·瓦达西？"

说话的正是那位警长。

"是的。"

警长朝我身后的警卫点了点头，那人退了出去，轻轻地将身后的门关上。

"身份证？"

我从钱包里抽出证件递给他。他从自己那边拿出一张纸，做起记录来。

"年龄？"

"32岁。"

"你是，我想想，你是一名外语老师。"

"是的。"

"工作单位？"

"法国六区114号乙，马索大道的伯特兰德·马西斯外语学校。"

在他记录这些信息的同时，我瞟了一眼那个大块头。他闭着眼，动作轻缓地用手帕在脸旁扇风。

"听着！"警长严厉地说道，"有劳工许可证吗？"

"有。"

"拿来看看。"

"证件在巴黎。我是来这里度假的。"

"你是南斯拉夫人？"

"不，我是匈牙利人。"

警长一脸惊讶地瞪着我。我的心一沉。看来，又得就我的种族身份进行一番冗长而烦琐的解释了，即便此刻不说，待会儿也得说。这个话题总是能激起官员们最强烈的抵触本能。警长狂翻了一通桌上的那堆纸张。突然，他兴奋地惊叫了一声，拿了样东西在我面前一晃。

"那么，先生，这个你要怎么解释？"

我也吓了一跳，发现他手里的"那样东西"竟然是我本人的护照——我居然还天真地以为护照放在储备酒店的行李箱里。也就是说，警察已经去过我的房间了。我开始不安起来。

"先生，我正在等你解释。你是匈牙利人，怎么会用南斯拉夫的护照？再者，这个护照十年前就过期了。"

我用眼角的余光发现那个大块头男人不再给脸扇风了。接着，我开始把那番早已烂熟于心的解释讲给他听。

"先生，我生于匈牙利的苏博蒂察。根据《特里亚农条约》规定，苏博蒂察当时被划分到南斯拉夫王国国土范围。1921年，我以学生的身份去布达佩斯大学读书。为此，我申请了南斯拉夫的护照。可就在我上学期间，父亲和哥哥因政治罪名被南斯拉夫警方开枪打死。我母亲早在战争中就去世了，我没有其他亲人和朋友。当时，我听人劝告，没打算再回南斯拉夫。可匈牙利的境况也并不好。所以，1922年的时候我去了英格兰并留在那里，在伦敦附近的一所学校教德语，直到1931年，那一年，我的劳工许可证被吊销了。当时很多外国人的劳工许可证都被吊销了，我是其中的一个。护照过期后，我去驻伦敦南斯拉夫公使馆申请过续期办理，但屡次遭到拒绝，理由是我不再是南斯拉夫公民。后来，我又申请了英国国籍，可当时劳工许可证被吊销了，被逼无奈，我只好到其他地方找工作，这才去了巴黎。警方允许我留在巴黎，还给了我一份带有限制性条款的文件。文件规定，一旦离开法国，就不准再回去。后来，我就递交了法国公民的资格申请。明年的这个时候，"说到结尾时，我吃力地挤出一丝胜利的微笑，"希望我在服兵役[1]。"

说完，我看了看他们之中的一个人，又看了看另一个。那个大块头男人正在点烟。警长则轻蔑地用手敲打着我那本过期的护照，眼睛盯着他那位同事。正当我看警长的时候，那个大块头男人开口说话了。那声音，惊得我险些跳起来，那么厚的嘴唇，那么硕大的下巴，那么肥的体形，居然会发出一种极轻、沙哑的男高音。

---

1 暗指获得法国公民身份。

"你的父亲和哥哥因什么政治罪被杀？"他说道。

他说话时又慢又小心，好似唯恐自己的声音会破掉。我转过身来回话的时候，他正像点雪茄那样点燃了一支普通的香烟，又从带火的烟头那儿吹出一股烟来。

我便解释给他听。

警长"啊哈"了一声，好像一切都跟预想的一样，如今终于弄清楚了。

"如此说来，或许就能解释通……"他又开始了一番令人不快的说辞。

可正在这时，那个大块头男人抬手示意他不要再讲。再看这只手，又小又胖，手腕四周像婴孩一样长了一圈肥肉。

"你教的是哪国的外语，瓦达西先生？"他彬彬有礼地说道。

"德语、英语、意大利语，偶尔也教匈牙利语。可是，我依旧没弄明白，这些问题跟我的护照有什么关系。"

他没有理会我的话。

"你去过意大利？"

"是的。"

"什么时候？"

"小时候。我们常在那里度假。"

"在现行政权的统治下，你没有去过那里？"

"当然，没去过。"

"在法国，你认识什么意大利人吗？"

"我工作的地方倒是有一个。跟我一样，也是一名教师。"

"叫什么名字？"

"菲力比诺·罗西。"

警长将名字记了下来。

"还有吗？"

"没有了。"

我被弄糊涂了。他们这是要干什么？意大利人跟我的护照有什么关系？看来，要想弄清楚缘由，要想找到问题的答案，恐怕需要很长一段时间。

"你是一名摄影师，瓦达西先生？"

说话的又是那位警长。

"一名业余摄影师——没错。"

"你有多少架相机？"

这问题还真有趣。

"一架。劳驾您能告诉我——"我开始发问。

只见警长面带愠色地把身子倾斜过来，重重地捶了下桌子。

"你是来回答问题的，不是来问问题的。"他大声喊道。接着，他停顿了一下，"你刚刚说自己有一架相机？"

"没错。"

"什么牌子？"

"一架康泰时蔡司。"

接着，他把办公桌的抽屉打开。

"是这架吗？"

我一眼就认出了自己心爱的相机。

"是它，"我恼怒地说道，"我想知道，您有什么权利从我的房间里带走我的私人物品。请您把它还给我。"说着，我伸手去要相机。

警长把相机又放回抽屉里。

"请你听着。除了这架相机，再没有别的了吗？"

"我已经告诉您了。没有！"

这时，警长脸上浮现出一丝胜利的微笑。他再次打开抽屉。

"那么，我亲爱的瓦达西先生，你要如何解释下面这件事：你怎么会把这么长的电影胶卷拿到村里药剂师那儿去冲洗？"

我吃惊地看着他。他张开双手，托着那卷冲洗完的胶卷底片，正是我之前留在药剂师那里的。从我坐着的位置逆着窗边的光线望去，的确是我尝试着拍的那些照片；两打照片只拍了一个对象——蜥蜴。接着，我发现警长又咧嘴笑了。见此情景，我毫无顾忌地笑起来。

"看得出来，"我有些不屑地说道，"先生，您肯定不是摄影师。这根本就不是电影胶卷。"

"不是？"他依旧心存怀疑。

"不是。我承认，这确实跟电影胶卷有些相像。不过，您细看会发现，电影胶卷比这个要窄一毫米。这是康泰时相机专用胶卷，标准规格36毫米×24毫米，一卷36张。"

"那么也就是说，这些照片都是用这架相机拍的，也就是放在你房间里的那架？"

"当然。"

接着，他们两人若有所思地停顿了片刻。我见他们互相递了个眼色。随后：

"你是什么时候到圣加蒂安的？"大块头男人又一次开口说话了。

"星期二。"

"从哪里来？"

"尼斯。"

"什么时候从尼斯出发？"

"坐9点29分的火车出发。"

"什么时候到储备酒店？"

"刚好在晚饭前，大约7点钟。"

"可是，从尼斯来的火车下午3点30分就到土伦了。有一趟4点钟开往圣加蒂安的汽车。你应该5点钟到。为什么那么晚？"

"这太可笑了。"

他猛地抬起头来看着我。那双小眼睛放出冷漠而凌厉的光。

"回答我的问题。为什么那么晚？"

"好吧。我把行李箱寄存在土伦火车站，去海边转了一圈。要知道，我之前从未见识过土伦是什么样，况且，6点钟的时候还有一趟公交车。"

他仔细地用手帕擦了擦衣领里的汗。

"瓦达西先生，请问你的工资是多少？"

"1个月1600法郎。"

"不是很多，对吗？"

"很遗憾，的确不多。"

"康泰时相机贵吗？"

"质量很好。"

"那是当然。我在问你，你花了多少钱买的？"

"4500法郎。"

他轻声吹起口哨。

"我的天，太贵了，不是吗？将近你3个月的工资，嗯？"

"对。摄影是我的爱好。"

"真是一项烧钱的爱好。看来，1600法郎在你手里算计得很精明，瓦达西先生。在尼斯度假，还去了储备酒店！我们这些穷警察可消费不起，您说是不是，警长？"

他用揶揄的口气说道。警长听了也讥讽地大笑起来。我能感觉到自己的脸涨得通红。

"我是省吃俭用买的相机，"我气急败坏地说道，"至于这次度假，也是五年以来的第一次。是省吃俭用攒的钱。"

"那是自然！"警长一边说，一边嗤之以鼻地笑着。

这一笑着实把我惹火了。

"现在，这位先生，"我愤怒地吼道，"我已经受够了。该轮到你们给我一个解释了。你们到底想干什么？我来这儿是为了解释护照问题的。这些才是你们职权范围内应该问的。但是，你们没有权利偷窃我的私人物品，也没有权利用这种方式询问我的私事。至于我的那些底片，我必须再次提醒二位，那是我的私人物品，虽然不知为什么，你们好像把它看得很重要，但是，我并不认为有哪项规定是禁止拍摄蜥蜴的。两位先生，我没有犯罪，但现在我饿了，该回酒店吃午饭了。请您立即把我的相机、照片和护照还给我。如若不然，我会立刻离开这里，直接去找律师。"

我一边说完最后一句话，一边用拳头重重地捶在桌子上。一支笔从桌子跌到地上。接着，屋子里的气氛凝固了片刻。我怒视两人几个来回。他们都没有反应。

"很好。"我最后说了一句，然后转身朝门口走去。

"等一下，先生。"大块头男人说道。

我停下脚步。

"怎么？"

"请你别浪费我们彼此的时间了。门外的警卫是不会让你轻易从这里离开的。我们还要再问你几个问题。"

"你们能强迫我留在这里，"我板着脸说道，"却不能强迫我回答你们的问题。"

"那是自然，"大块头男人慢条斯理地说道，"这是法律规定。但是，我们建议你老老实实回答——也是为了你自己好。"

我什么都没说。

只见大块头男人从警长桌上拿起底片，举起来朝着光，底片从指间穿过。

"两打多照片，"他发表着自己的见解，"其实全都一样。我觉得，这很奇怪。难道你不这么认为吗，瓦达西？"

"一点儿也不，"我干脆地回答道，"但凡您能了解一些摄影常识，或者您用普通人的视角去观察，也能发现它们每一张的亮度都是不同的，每一张都是用不同的方式进行光影聚焦。的确，照片上都是蜥蜴，但这并不重要。每张照片的区别在于取光和构图方式的不同。但无论如何，即便我在阳光下拍了100张蜥蜴的照片，也跟你们没有关系。"

"你解释得很周全，瓦达西。很周全。现在，我来告诉你我是怎么想的。我认为，你根本就不在乎用那26张底片拍什么，你只是想尽快把胶卷曝光，将整卷用完，为的是能够冲洗出另外10张底片。"

"另外10张？您到底在说什么？"

"再伪装下去真的是浪费时间，不是吗，瓦达西？"

"我真不知道您在说什么。"

他从椅子上起来，站到我跟前。

"你不知道吗？前面10张曝过光的底片是怎么回事，瓦达西？你愿意向我和警长解释一下吗，为什么拍那些照片？我敢说，我们对这个会很感兴趣！"他伸出手指在我胸前轻敲了一下，"请问，你这次是对土伦海军港口外围新建防御工事的取光感兴趣，还是对光影聚焦感兴趣？"

我目瞪口呆地看着他，一时间竟不知该说些什么。

"您是在开玩笑吗？那卷胶卷上的其他照片都是我在尼斯狂欢节上拍的，我出发的前一天正好赶上狂欢节。"

"你承认只用这卷胶卷拍过照，对吗？"他郑重地说道。

"这个我已经说过了。"

"好。请你再好好看看这些底片。"

我接过底片，迎光举起来，让它在指间缓慢穿过。蜥蜴，蜥蜴，蜥蜴。有几张拍得真不错。蜥蜴，还是蜥蜴。突然，我停住了。这到底是什么东西？我赶紧仔细看了看。他们两人都在认真地观察着我的举动。

"接着说说吧，瓦达西，"警长嘲讽道，"不要一脸惊愕的表情嘛。"

我无法相信自己的眼睛，又仔细看了看底片。有一张取的是远景，拍的是一段海岸线，有一部分画面被什么物体挡住了，像是相机镜头旁的一根树枝。海岸线上好像有什么东西——一个灰色的条状物。还有一张，取景稍微近些，角度不同，拍的还是那条灰色的东西。那东西的一侧还安了几道类似板门的物件。有好几张都是拍它的。其中，有两张是同一角度；另外一张是从俯视角度拍的，镜头也拉得更近一些。接下来的三张画面几乎都是黑乎乎的一片，应该是镜头前遮挡了什么东西。遮挡物的轮廓模糊不清，看上去隐约像是一块布。接下来这张，镜头拉得非常近，但是没有对准焦，看上去像是某种东西的混凝土表面。最后一张是过度曝光的，只有一角被挡住了。貌似是从某个宽阔的混凝土眺台的一端拍摄的。画面还突出了一些奇特的装置。一时间，这些东西把我弄糊涂了。不过最后，我终于明白了。我所看到的这东西竟是攻城炮上那一根根表面光滑的长炮筒。

3
贝 金

大块头探员叫来地方预审法官，好办理逮捕我的正式手续。那人一副苦大仇深的面孔，个头矮小，他像走过场一样审问了我一番，随后让警长草拟指控文件。我得知，自己被指控的理由包括：从事间谍行动、擅闯军事区、拍摄照片蓄意对法兰西共和国的安全造成威胁、私自留存这些照片。宣读完这些指控罪名以后，我给予反馈，表示听懂了，再后来，我的裤腰带就被没收了（我猜，应该是怕我上吊），口袋里的东西也被拿走了，我就这样拎着裤腰进了建筑后面的一间牢房。一个人被关在那里。

要说我当时的情绪状态，用"困惑"一词形容是不够的。令我不解的是，每句辩词到了嘴边，总觉得辩驳力度不够，最终只好咽下。结果，我全程都是哑口无言。既然我一直沉默，警方就理所当然地得到了他们想要的结论。但此刻，我一个人待着，开始更加冷静地思考。这太不可思议了，太离谱了。完全是不可能的事，可就这样发生了。我被指控为间谍，被逮捕到警察局的牢房。若是接受制裁被判刑的话，很有可能要坐四年牢——在法国的牢房里待四年，然后被驱逐出境。我能忍受牢狱生活——即使是法国监狱——可是，要被驱逐出境！想到这里，我整个人都开始不安起来，内心极度恐惧。如果法国把我驱逐出境，我就无处可去了。南斯拉夫会逮捕我。匈牙利也不会接受我。德国和意大利也不行。即便一个身无护照且有间谍前科的人可以待在英格兰，也是不被允许在那里工作的。在美国眼中，我只不过是又一个不受待见的外国人。若是去南美洲那些共和国，需要拿一大笔钱来为自己的良好品行作担保，我没那么多钱。对于一个被判过间谍罪的人来讲，苏联和英格兰一样，都不能寄予指望。到时，我将无处可去，无处安身。可是，这又算什么了不起的大事？有谁会关心一个没有国籍又无足轻重的外语老师的境遇呢？也没有哪方政府会向自己十分看重的国家"提出要求或请求"说："请允许此人在贵国畅行无阻。"没有哪个领事会替这样一个人插手这类事；议会、国会、众议院更不会关心他的命运如何。严格来讲，这样一个人是不存在的，他是抽象的，形同一具幽灵。只有一条路，既体面又合理，那就是了无痕迹地结果了自己。自焚是最合适的。最后，尘归尘，土归土。

我突然一下子把思绪拉了回来。刚才的一切都是臆想。我还没被判定间谍罪，还没进监狱。我现在依旧在法国。我一定要动脑、思考，找到最简单而直接的理由（一定存在），解释清楚那些照片为什么会在我的相机里。必须仔仔细细地从头捋顺，不能遗漏任何细节。这就必须从我在尼斯的那段时间开始。

记得那天是星期一，我把新胶卷放进相机里，去狂欢节上拍照。后来，我就回到了酒店，把相机放在行李箱里。晚上打包行李的时候它还在。截止到那时，一切都正常。直到星期二晚上抵达储备酒店之前，相机一直都放我的行李箱里。我在土伦逗留的那段时间，行李箱一直放在火车站的寄存处。难道我在土伦闲逛的两小时期间有人用过相机？不，不可能。行李箱是锁着的，没有人能在两小时之内到寄存处去把箱子撬开，将相机偷出来，再去拍那些看上去就很吓人的照片，最后还要把相机放回行李箱。再者，为什么要把相机放回去？不，这说不通。

接着，我脑中又冒出了一个想法。对呀，我早该想到！真蠢！他们说，我是用前10张胶卷拍的那些照片。这说明那些照片肯定是早就拍好的，因为我最后拍的那张蜥蜴照片序号是36。胶卷是不能倒调回去再用的，而且胶卷上也没有二次曝光的痕迹。由此看来，当初我在尼斯时放了一卷新胶卷，但在拍土伦那些照片之前，一定是有人又放了一卷新的进去。

想到这里，一直坐在床上的我激动得一下子跳起来，裤子一掉到底。我赶紧提上裤子，双手插进裤兜，在牢房里来回踱步。一定是这样，现在都想明白了。一开始给蜥蜴拍那些试验照片的时候，我还有些奇怪，为什么相机曝光计数器上显示的数字是11。我记得自己在尼斯拍了8张照片。当时还觉得，应该是自己胡乱拍了些，很有可能忘了，尤其是胶卷的底片多达36张，因此我并没有过多地考虑这件事。没错，胶卷肯定是被人换过了。但是，什么时候呢？到储备酒店之前这段时间是不可能的，次日晨间早饭过后我就开始拍蜥蜴了。那么，就应该是这样的：星期二晚上7点到星期三早上8点30分（早餐时间），有人从我的房间里拿走了相机，把一卷新胶卷放进去，之后前往土伦，穿越戒备森严的军事区拍了那些照片，最后返回储备酒店，把相机放回我的房间。

这听上去不太可能，也不太合理。暂且不考虑其他因素，仅仅光线问题就说不通。晚上8点，天色就黑下来了，我7点才到酒店，所以排除星期二的可能。假设，就算拍照的人晚上就到了土伦，清晨展开行动，他也要用很快的速度巧妙地把相机放回我的房间，因为那个时候我正躺在床上望着窗外。总之，还有，为什么把相机还回来时胶卷却还在里边？难道，有人想故意嫁祸于我？警察是怎么知道这件事的？是不是拍照的人匿名报了警？对了，还有那名药剂师。很明显，警察早就埋伏在那里等着底片持有者落网。或许，药剂师拿着那些照片被人发现时，推脱说照片是我的。但若如此，为什么那些照片会和我的试验照片在一起。底片并没有接合的痕迹。真是太伤脑筋了。

一时间，我竟停不下来，正打算再次（第三次）厘清事情的脉络时，忽然听到外面走廊里传来了脚步声，接着，我这间牢房的门打开了。身穿蚕丝西装的大块头男人走了进来。随后，他身后的门关上了。

他先是站在那里用手帕擦了一阵衣领里的汗。之后，他一边朝我点了点头，一边坐在了床上。

"坐下吧，瓦达西。"

我心想，他可能是在算计怎么整我，于是，我在这间屋子仅剩的另一件摆设上坐下来，那是一个上了釉的铁质坐浴盆，上面盖了个木头盖子。他那双小眼睛正犀利地打量着我，流露出若有所思的神情。

"想来点儿面包和汤吗？"

这个问题还真让我始料未及。

"不了，谢谢。我不饿。"

"那么，来支烟？"

他递给我一盒皱巴巴的高卢香烟。这种体贴入微的行为引起了我的高度戒备，不过我还是把烟接了过来。

"谢谢，先生。"

接着，他把自己抽剩的烟蒂拿给我点火。然后，他又小心地擦了擦嘴唇上方和耳后部位的汗。

"为什么，"他终于开口说道，"为什么要承认那些照片是你拍的？"

"这算是官方审问吗？"

他用那块已经被汗水浸湿了的手帕掸了掸落在肚子上的烟灰。

"不是。官方审问由地区法院的法官来执行，与我无关。我是安全总局的人，隶属海军情报局。你可以跟我畅所欲言。"

我不明白，他凭什么指望一个间谍会跟他这样一个海军情报局的人畅所欲言，不过我没有发问。老实讲，有这样畅所欲言的机会，我求之不得。

"好吧。我承认照片是我拍的，因为我确实拍了。我指的是其余那些照片，不包括胶卷上的前10张。"

"的确如此。那么，你要如何解释那前10张照片？"

"我觉得，我相机里的胶卷被人换了。"

他扬了扬眉毛。接着，我就自己这一路的行程（从尼斯出发那一刻开始）进行了一番长篇大论的解释，还就那些获罪照片的来源展开了一系列的推论。他听我说着，但看得出来，这并不足以令他信服。

"不过，这并不能作为证据。"等我陈述完，他这样说道。

"我并没有说这是证据。我只是想为这次离奇的事件找到一种合理的解释。"

"警长认为他已经找到了合理的解释。这不能怪他。从事情的表面来看，指控你的这个案子无懈可击。你承认底片是你的，而那些照片又都在这张底片上。你当然会被列为嫌疑人之一。这很简单！"

我看着他的眼睛。

"但是我发现，您对此并不满意，先生？"

"我可没那样说。"

"您确实没说，可是如果您对这样的结果满意，就不会来这里找我谈。"

只见他兜起下巴，咧嘴欲笑。

"你高估了自己的重要性。我对间谍不感兴趣，我感兴趣的是背后指使他的人。"

"如此，"我气愤地说道，"您就是在浪费时间了。我不是拍照的人，我唯一的雇主就是马西斯先生，雇我教外语的人。"

不过，他好像没有听我说话，而是停顿了片刻。

终于，他开口说道："警长和我一致认为，你的身份无非是以下三种——精明的间谍、蠢笨的间谍，或者无辜的人。我猜，警长肯定认为你是第二种人。我从一开始就觉得你是无辜的。因为你的表现太过愚蠢，没有哪个罪犯会如此蠢笨。"

　　"感谢您。"

　　"我一点儿也不需要你的感谢，瓦达西。我尤其不想听到这样的话。要知道，现在我什么都不能为你做。请理解。警长已经逮捕了你。你或许是无辜的，但如果最终被判入狱，我并不会为此而寝食难安，一点儿都不会。"

　　"这个我当然知道。"

　　"另外，"他继续若有所思地说道，"我想弄清楚到底是谁拍了那些照片，这个很重要。"

　　接下来又是一阵沉寂。我猜，他可能是在等我发表看法。可我在等他继续说下去。片刻之后，他终于开口了。

　　"如果能找到真正的罪犯，我们或许可以，瓦达西，我们或许可以为你做些事。"

　　"为我做些事？"

　　他大声地清了清嗓子。

　　"是的，当然可以，没有领事愿意为你出头插手这件事。那么，我们就有责任保证你接受公正的待遇。当然了，前提条件是你能满足我们的要求，跟我们合作，不必害怕。"

　　我逐渐明白了这一系列隐晦暗示背后的用意。我牢牢地抓住自己的膝盖，努力地克制，以防自己朝他猛扑过去。

　　"我已经把知道的全都告诉您了，先生……"我停住了。喉咙里像是有团东西堵着，话没说出来。不过，大块头男人显然以为我在等他说出自己的姓氏。

"贝金，"他说道，"我叫米歇尔·贝金。"

他顿了一下，又看了一眼自己的肚子。这间牢房热得实在令人难以忍受，我发现他胸口的汗水已经把条纹衬衫浸透了。"尽管如此，"他补充道，"我还是觉得，你能帮到我们。"

他从床上站起身来，走到牢房门口，用拳头重重地捶了一下门。接着传来一阵钥匙开锁的声音，我看到外面站着一位身穿制服的警卫。大块头男人跟他耳语了几句，我没听到说什么，随后，门又一次关上了。他站在原地，又点了一支烟。一分钟后，门再次打开了，他从警卫手里接过一样东西。他转过身来，门又一次关上。他手里拿着的正是那架相机。

"认识它吗？"

"当然。"

"拿去仔细查看一下。看你能否发现什么异常。"

我接过来，按照他的话做。我试了试快门、取景器和测距仪，又把镜头取下来，打开后盖，仔细地查看了这件仪器的每处角落和缝隙。最后，我把它放回相机包里。

"没发现什么异常，就是我房间里的那架。"

他把手伸进口袋，拿出一张折叠好的纸。随后，他抬手递给我。

"这个，瓦达西，我们在你的小笔记本里发现的。看看吧。"

我接过那张纸，打开，又看了看他。

"好吧，这个怎么了？"我心存戒备地说道，"只是那架相机的保险单。就像您之前说的，这相机很贵。我给它上了份保险，以防丢失或者被偷。"我重点强调了一下。

他从我手里拿过那张纸，无奈地叹了口气。

"你还是很幸运的，"他说道，"法国司法机构既关照蠢笨的呆瓜，也关照犯罪分子。约瑟夫·瓦达西可凭借此保单抵御康泰时蔡司牌序列号F/64523/2相机丢失的风险。请你再看看旁边这架相机的序列号。"

我看了看，心脏骤停了一下。序列号居然不一样。

"那么说，"我激动地叫道，"这不是我的相机。可为什么底片上会有我拍的照片？"

我回看了一眼大块头，不得不说，那胖家伙脸上恼怒的表情已经喷薄欲出了。我却还没反应过来。只听他用更高的嗓音回应道：

"因为，我亲爱的呆瓜，被换掉的不是胶卷，而是相机。这种相机是标准生产线上生产的，使用广泛。你用这架相机拍那些破蜥蜴之前，土伦的那些照片就已经在里面了。你甚至还发现曝光计数器上的数字跟自己那架相机上显示的不一样。后来，你把胶卷拿出来，带到药剂师那里。他看到了这10张照片，也认出了照片上的东西，傻子都能认出来，接着，他把照片带到了警察局。现在，呆瓜，你明白了吗？"

我恍然大悟。

"这么说，"我说道，"您直言不讳地跟我说您相信我是无辜的，那个时候您就已经弄清了状况。如此说来，我倒想知道，您有什么权力把我这样关起来。"

他用手帕擦了擦头顶的汗，低垂着眼皮看着我。

"不，审问你的时候，我才觉得你是无辜的。因为你的蠢笨太过明显。我们发现这张保单的时候，你已经被指控了。不过，我说过，你被捕这件事跟我没关系。我无能为力。警长对你很不满，因为这个证据的出现让他那些笔录变成了废纸。不过，为了公正起见，他已经同意取消其中的三项指控。但是，要保留一项。"

"哪一项？"

"你私存照片，蓄意对共和国安全造成威胁。这是一项重罪。一定要保留这一项，除非，"他郑重其事地补充道，"想办法把这项罪名也取消。到时，我自然会去警长那里替你说情。只是，要想进行这种非常规操作，就得拿出十足的理由，否则，指控流程会继续进行。也就是说，你至少会被判驱逐出境。"

一时间，我的脑子像被冻僵了一样。

"您的意思是，"我语气沉稳地说道，"要我配合，如果我不同意合作，这项荒谬的指控就会被坐实？"

他没有回答，正准备点第四支烟。点着之后，烟在他两片嘴唇之间轻轻地晃悠着。只见他一口烟吹过去，目光深沉地凝视着空白的墙壁，仿佛在观赏一幅画，好像自己是一个艺术品商，正在考虑要不要把这幅画买下来。

"这两架相机，"他心事重重地说，"被调换的理由有三个：可能是有人故意陷害你，也可能是有人想紧急处理掉这些照片，或者完全事出偶然。我认为，第一种假设可以排除。因为变数太多。以下两点无法保证：第一，你会把胶卷拿去冲洗；第二，药剂师会去报警。第二种假设又缺乏真实性。那些照片很有价值，再次找回的可能性几乎为零。此外，照片放在相机里是很安全的。既然两种都不是，那么我觉得，应该是纯属偶然。两架相机是同一款，都放在统一规格的相机包里。看你刚才的表现，根本没有看出它们之间有什么不同。不过，他们是在何时、何地调换的呢？不是在尼斯，因为你告诉我说，你把相机带回酒店，装进了行李箱。也不可能在路上，因为整个途中，它都被锁在行李箱里。那就是在储备酒店被人换掉的。如果调包这件事是偶然的，那就只可能发生在某一处公共场所。是什么时间呢？你告诉我说，昨天早餐时把相机带了出来。你是在哪里用的早餐？"

"在露台上。"

"带着相机吗？"

"没有。我把它放在相机包里，搁在了大堂的一把椅子上，想等会儿去花园经过那里时顺便带走。"

"你吃早饭是什么时候？"

"大概8点30分。"

"什么时候去的花园？"

"一小时后。"

"之后你拍了照片？"

"是的。"

"回来是什么时候？"

"将近12点。"

"回来之后呢？"

"直接回房间，把用完的胶卷取出来。"

"也就是说，除了8点30分到9点30分这段时间以外，在开始给蜥蜴拍照片之前，相机一直没离开你身边？"

"没有。"

"那个时间段，你把它放在了门口（朝向花园）旁边的一张椅子上。"

"是的。"

"现在，你仔细想想。你回去取相机时，它还放在原来的地方吗？"

我仔细想了想。

"没有，没在原来的地方，"我终于想起来，"当时，我把相机包的带子挂在其中一把椅子的椅背上。等我回来取的时候，它却跑到了另一把椅子的椅座上。当时我还在想，可能是这里的办公人员发现我把相机挂在椅背上，觉得放在椅座上更安全。"

"你没再看看自己那架相机是否还挂在原来的地方吗？"

"为什么？没再看。看到相机在椅座上，我就拿走了。为什么还要再看？"

"如果有一架相机始终挂在椅背上，你应该能注意到。"

"不太好注意到。那个带子那么长，挂在椅背上时，相机包一定是位于椅座以下的位置。"

"很好。那么，事情就应该是这样的：你把一架相机挂在了椅背上。回来时发现另一把椅子的椅座上放着一架一模一样的相机。当时，你以为那是你的，就顺手带走了，其实，你的相机依旧挂在原来那把椅子的椅背上。由此推测，后来这架相机的主人回来，发现自己放在椅座上的相机不见了，四周查看了一下，发现了你的那架。"

"听上去很有可能。"

"所有宾客都去吃早饭了吗？"

"不知道。储备酒店只有18间房，头一晚我抵达酒店时，还没住满。不过，仅限于当时。后来我就不知道了。但是，只要是从楼上下来经过大堂的人都会经过椅子那里。"

"那么，我亲爱的瓦达西，我们现在有充分的理由相信，拿走你相机的那个人，也就是拍了那些照片的人，此时此刻就在储备酒店。但是，到底是谁呢？我觉得，我们可以先不用考虑服务员和其他员工，他们都是从这座村子或附近村子来的。当然了，我们会找他们问话，不过，我想，从他们那里问不出什么。此外，还有10位宾客以及科赫经理和他的妻子。那么，瓦达西，那个拿了你相机的人就是罪犯，拿走了跟这架一模一样的康泰时蔡司。你也知道，对于我们来讲，根本不可能把整个酒店的宾客都抓来，搜查他们的行李，这一点很明确。有几个外国人的领事很不好惹，即便抛开这些顾虑，我们也很有可能找不到相机。到时，罪犯反而会提高警惕，我们将无能为力。所谓的打探，"他继续强调说，"打探的人一定不能让对方起疑心，一定要小心谨慎地查清到底是谁手里有这种康泰时相机。"

"您的意思是让我去？"

"没错。要你做的这件事很简单，查清酒店里哪些人有相机就可以。那些有相机，但不是康泰时牌子的人嫌疑相对小些，那些没有相机的人嫌疑大些。你看，瓦达西，拿了你相机的人此刻或许已经发现相机被调换了。如此一来，他就会把你的相机藏起来，以防被人指认出自己就是这架相机的主人，拍了土伦那些照片。还有一种可能，"他心不在焉地补充道，"他或许会尝试拿回自己的相机。你一定要提防这件事。"

"你不会真要这样做吧？"

他一脸严肃地凝视着我。

"相信我，我的朋友，我巴不得能有别的选择。毕竟，你的脑子真不太灵光。"

"可我现在被关在这里。说真的，"我有些不快地说道，"您难道就不能劝劝警长，让他放了我吗？"

"你依旧是被关押的罪犯，不过你会被假释。只有科赫知道你被捕的消息。我们去过你的房间。他当时很不乐意配合，不过后来我们跟他解释说是护照出了问题，是经过你允许的。你出去就说，是一点儿小误会，误打误撞被扣留了。接着，你每天早上都要用这里的电话向我汇报情况。村里邮局的电话。其他任何时间，如果你想找我，就打电话到警长那里。"

"可我星期六早上要动身返回巴黎。星期一就开学了，我还要去上课。"

"你必须留在这里，直到拿到许可才可以离开。还有，除了警方，不要试图跟储备酒店以外的任何人联系。"

顿时，一股翻江倒海的无助感涌上心头，惹得我一下子跳起来。

"你这是绑架，"我歇斯底里地喊道，"我会丢掉工作。"

贝金起身，站到我对面。肥大的身形总让人觉得他这个人顶多也就中等身高，没想到的是，要想盯着他那双小眼睛，还须仰起头来。

"听着，瓦达西，"他说道，他那令人发笑的语音中带着一股子邪劲儿，比警长的威吓咆哮更让人害怕，"未经允许，你不准离开储备酒店。若未经允许擅自离开，你就会被抓回来，我会动用私人关系，派汽船把你送到杜布罗夫尼克，将你驱逐出境，还会把你的档案交给南斯拉夫警方。要牢牢记住我说的话。我们早些找出拍照的人，你就能早些回去。不过，别耍什么花招，别写什么信。要么按照我的话去做，要么被驱逐出境。总之，若真能躲过驱逐出境这一劫，就算你幸运。所以，一定要小心谨慎。明白吗，嗯？"

我明白——非常清楚。

一小时后，我从警察局出来，沿着马路往村子那边走。肩上挎着康泰时相机。把手伸进口袋里时，我摸到一小张纸，上面写的是储备酒店宾客的名单。

时间大约是傍晚5点30分，停靠在港口码头的船已经被笼罩在一片暮色之中。从药店经过的时候，我看都没看一眼。几个孩子正在狭窄的街道上玩耍。往前走的时候，我没有看路，撞到了其中的一个孩子，是个小女孩。她跌倒了，擦伤了膝盖。我刚要弯腰去扶她，肩上的相机不小心滑了下来，正当我一手抓住相机，一手去扶她的时候，小女孩哭着跑开了。于是，我继续沿着马路往山上走，身后跟来六七个孩子，正在朝我破口大骂。只听他们齐声用法语喊道：

嘿，老叔叔，嘿，小子，
抓住那个耷耷的老家伙！
嘿，老叔叔，嘿，小子，

最后，我到了储备酒店，科赫正在他的办公室。我回房间经过他的办公室的时候，他出来了。只见他穿着紧身衣、蓝色牛仔裤和凉鞋，而且从他那湿漉漉的头发来看，应该是刚洗过澡。他个子高，精瘦，有些驼背，一脸困倦，完全不像个经理。

"噢，先生，"他浅笑着说道，"您回来了。希望没出什么大事。警察今早来过了。他们说经过您的允许来取您的护照。"

我尽量装出一副不高兴的样子。

"没有，没有什么大事。就是有些关于身份的疑问，他们花了很长时间才弄清楚，原来是个误会。我已经正式提出了投诉和抗议。他们留我吃了午饭，还表示了歉意，可又能拿他们怎么样呢？法国警方真是太荒唐了。"

他表情严肃，一脸的惊讶与气愤，夸我够宽容。很明显，他并不相信我的话。这也不能怪他。毕竟，我扮演愤怒公民的演技太差，根本就不像。

"顺便问一下，先生，"我正要上楼的时候，他随口问道，"我记得，您打算星期六离店？"

看来，他是想让我赶紧离开。对于这个问题，我假装思考了一下。

"我原本是这样打算的，"我说，"可是，也有可能决定再多待个一两天。如果，"我淡淡地笑着补充道，"如果警方不反对的话。"

他犹豫了片刻。

"真是太好了。"他说道，只是语气中没有丝毫热情。

正当我再次转身离开时，也可能是我自己的想象，总觉得他在盯着那架相机。

4

打　探

此时此刻，我发现，我已经记不太清那天接下来的两小时里发生了什么事。不过我记得，当我回到房间时，满脑子只想着一个问题——星期日下午有从土伦到巴黎的火车吗？想到这里，我冲到行李箱前，疯狂地翻找着列车时刻表。

您可能觉得奇怪，大难临头，我居然还有心思考虑赶火车回巴黎这种琐碎的小事。可是，在极大的压力面前，人的反应就是如此古怪。船只即将沉没时，最后一艘救生艇马上就要从船的一侧驶离，这个时候，乘客居然会跑回他们的船舱去抢救那些零零碎碎的私人物品。将死之人马上就要跟这个世界永别，却还会挂心那些不起眼的债务。

而我担心的，是星期一早上会迟到这件事。要知道，马西斯先生在守时这种事上要求非常严格。凡是迟到的，无论学生还是老师，都会招致他的极度不满。到时，他会说出辛辣的言辞，若赶上一旁有人看热闹，还得遭受他的高声羞辱。这还没完，当事人往往会在犯错几小时之后才被他斥责。其间，惴惴不安的心情实在很折磨人。

按照我的推算，星期日下午，若能从土伦赶坐一班火车连夜返回巴黎，或许能按时到学校。我确实找到了一班星期一早上6点钟到巴黎的火车，我还记得当时的心情，真是如释重负。可紧接着，我又没了主意。贝金说过，星期六不许我动身离开。真糟糕！马西斯先生一定会生气。如果星期日走，能准时赶回巴黎吗？能，老天保佑，一定可以！但愿一切顺利。

如果当时有人提醒我说，星期天也脱不了身，我想，我应该会不屑地大笑一通吧。不过，这种笑或许带有某种病态的成分，我当时坐在地板上，旁边是打开的行李箱，恐惧感死死地笼罩着胸腔内部组织，心脏一阵狂跳，呼吸急促，像是一直在奔跑。我不停地吞咽唾沫，说不清缘由，只觉得这样心跳就不会那么快。我口渴极了，过了一会儿，我起身去了洗手盆那边，喝了点儿刷牙杯里的水。再后来，我回到屋里，用脚把行李箱盖子盖上。与此同时，贝金放在我口袋里的那张纸"刺啦"响了一声。我坐在了床上。

现在想来，我当时一定是坐在那里呆呆地盯着贝金那份名单看了一个多小时。看了一遍，又看一遍。那些名字变成了一堆密码，一堆字母的无序性排列组合。我闭上眼，又睁开，又看了一遍。这些人我都不认识。我在这家酒店只待了一天时间。这里地方那么大。我只在用餐时跟那些人打过招呼，其他时间再没有过交流。我这人又是脸盲，若是在大街上遇到，很有可能一个都认不出来。可是，拿了我相机的人就在这名单里，就叫其中的某个名字。间谍就藏在那些跟我打招呼的人当中。有人雇他（或她）来秘密地潜入军事区，给那些钢筋混凝土设备和大炮拍照，有朝一日，出海战舰就可以神不知鬼不觉地瞄准目标开炮，将那些钢筋混凝土设备、大炮及其操作人员通通炸得粉碎。我只有两天时间找到那个人。

我脑子笨，看这些人的名字都不像坏人。

罗伯特·杜克洛先生	法国人	南特
安特烈·鲁先生	法国人	巴黎
奥黛特·马丁小姐	法国人	巴黎

沃伦·斯凯尔顿先生	美国人	华盛顿特区
玛丽·斯凯尔顿小姐	美国人	华盛顿特区
沃尔特·弗格先生	瑞士人	康斯坦茨
赫尔德·弗格夫人	瑞士人	康斯坦茨
赫伯特·克兰顿-哈特利少校	英国人	巴克斯顿
玛丽亚·克兰顿-哈特利夫人	英国人	巴克斯顿
埃米尔·席姆勒先生	德国人	柏林
阿尔伯特·科赫（经理）	瑞士人	沙夫豪森
苏珊娜·科赫（经理的妻子）	瑞士人	沙夫豪森

去法国南部任意一家小型酒店，几乎都能找到类似的宾客名单。有最为常见的英国军人及其妻子。还有美国人，虽不是很常见，却也绝不是异常现象。还有瑞士人，少数几个法国人。孤身一人的德国人倒是不常见，但也算正常。来自瑞士的酒店经理，还有他的妻子，这种现象也很常见。

下一步要做什么？何时着手？接着，我想起贝金说的那些有关相机的指示。我要弄清楚他们谁有相机，之后向贝金汇报。想到这里，我赶紧抓住这个明确的思路。

最直接的方法或许就是找他们一个一个地聊，或者说，一对一对地聊，找一个拍照的话题。我可以这样说："对了，前几天我看见有人拍照，是你吗？""不，"对方有可能这样回答，"我没有相机。"或者，"是的，不过我那些照片可拿不上台面。拍照水平一向不行。""那要看您相机的好坏了。"我会这样巧妙而不动声色地给予反馈。接着，对方会说："我也这么觉得。我那架是箱式相机，便宜货。"

但这样不行，根本不会有效果。其一，谈话不会按照我预想的方向进行。对方一开口，我通常都是回到倾听者的状态。其二，假设间谍发现自己拍的照片不见了，原来钢筋混凝土设备和大炮的照片被换成了生动的尼斯狂欢节照片，那该怎么办？即便他没有马上反应过来，没发觉自己错拿了别人的相机，也还是会察觉到哪里不对劲，会提高警惕。只要有人跟他聊摄影，都会让他起疑。所以，我必须用一种不那么直接的方式。想到这里，我已经跃跃欲试了。

我看了一眼手表。还差一刻钟到7点。透过窗户，我看见海滨浴场依旧有人。从我的房间能看到沙滩上放着一双鞋和一把小遮阳伞。我简单梳了梳头发，之后就出门了。

有些人总是能轻而易举地与陌生人攀谈。他们的思维似乎自带一种神奇的灵活特质，能让他们迅速调整思维步调，与身边的陌生人保持一致。他们可以在一瞬间让自己的志趣与陌生人相投。他们只要一笑，陌生人便会给出回应。接着一问，一答。过不多时，他们就成了朋友，津津有味地聊起鸡毛蒜皮的小事。

我就是没有这种主动结识人的能力，除非别人先跟我讲话，否则我不会开口。即便有人先开口跟我讲话，我也会紧张，同时又迫切地想让自己表现得很友好，结果，要么更加呆板、拘谨，要么就是过度热情。因此，陌生人要么觉得我这个人孤僻、狂妄，要么觉得我是在耍小伎俩。

不过，当我沿着石阶朝海滨浴场走去时，我就下定决心，这一次，无论如何都要摆脱内心的种种拘束。我一定要表现得自信、友好，一定要讲有趣的事情给对方听，一定要想方设法与人聊天，一定要沉稳。毕竟，我是有任务在身的。

此刻，这片小型海滨浴场已经完全处于暮色之中，海上吹来的阵阵微风正拂动树冠，天气依旧很热。折叠躺椅的靠背上方露出两个男人和两个女人的脑袋来，看得出来，躺椅的主人们正坐在那里。走到石阶尽头，我依稀听到他们正在试着用法语交谈。

离他们几米远的地方有几个支架，倒置在上面的小艇还没有刷完漆，我在其中一个支架的一端坐下来，望着整片海湾。

坐下来的那一刻，我瞄了一眼，发现离我最近的这两把叠椅上分别躺着一个23岁左右的小伙子和一个20岁左右的姑娘。他们穿着泳衣，显然，晨间我在露台上看到的两双深褐色的腿就是他们的。听他们讲了一会儿法语，我推断，这两位应该就是名单上的那两个美国人——沃伦·斯凯尔顿和玛丽·斯凯尔顿。

另外两人则完全不同。都是中年人，体形肥胖。我记得之前见过他们。那位男士的脸如同光亮的月盘，至于身材嘛，远远望去，跟球差不多。之所以给人这样的错觉，多多少少跟他穿的那条裤子有关。那是一条黑色料子的裤子，裤腿又细又短。再看裤腰，本来就已经很高了，却还要提过圆滚滚的肚子，用一对非常结实的背带吊到差不多腋窝那里。他上身穿一件敞领的网球衫，没有外套，活像从讽刺漫画杂志 *Simplicissimus* 里走出来的漫画人物。这两位是瑞士人，妻子比他稍微高一些，穿着很不讲究。她很爱笑，要么正在开怀大笑，要么马上就要笑出来。她的丈夫也跟她一起笑。夫妻俩像两个小孩子一样单纯、自然。

那时，斯凯尔顿好像在给弗格先生解释美国的政治体系。

他吃力地用法语说："两党联盟，共和党和民主党。"

"是的，我知道，"弗格先生笑着用法语插话道，"两者有什么区别吗？共和党提倡社会主义吗？"

两个年轻的美国人无奈地吼了两声。接着，传来一阵瑞士人的狂笑。玛丽·斯凯尔顿接过话茬。不过，她的法语比哥哥稍微好些。

"不是这样的，先生。二者没有关系。共和党比民主党更守法，这就是区别。"

"有人听说，"她的丈夫用蹩脚的法语说道，"美国匪徒（发音是gangsters，他的发音是garngstairs）在大选过程中有着举足轻重的影响力。听说就像中间派政党一样？"他一边说，一边端出一副瞧不起那些鸡毛蒜皮小事，要正儿八经聊国家大事的架势。

一旁的女孩忍不住咯咯笑起来。她哥哥深吸一口气，开始极为认真地解释，令弗格先生大吃一惊的是，99.9%的美国人居然从未听闻过所谓的匪徒，而死去的公民约翰·迪林杰[1]并不具有代表性。只可惜，他的法语实在太差。

"的确会有人质疑，"他用法语承认道，"有那么……一些……"他再也说不下去了。"玛丽，"他可怜地说道，"该死的，'勒索'用法语怎么讲？"

这样的时机，真是天助我也。或许教学已经成了一种习惯，教人的冲动（如饥饿或者恐惧一般）居然战胜了社交障碍。我只记得，我用余光瞟了一眼女孩，她正无助地耸耸肩，这时，我趁机开了口。

"你想说的是Chantage吧。"

他们朝我这边看过来。

"哎呀，谢谢。"女孩说道。

她哥哥的眼睛里流露出渴望的光芒。

"老实说，你的法语是不是跟英语一样棒？"

"是的。"

"那么，"他语气有些刻薄地说道，"您能否帮忙跟左边这位老笨蛋解释一下，在美国，gangster是用小写的'g'拼的，国会上可没有他们的代表方。至少，没有公开的代表方。你也可以再补充一些，大概

1　约翰·迪林杰（John Dillinger，1903—1934），20世纪30年代大萧条时期，活跃于美国中西部的银行抢匪和黑帮成员。

意思就是，在美国，我们并不会胆战心惊地过日子，不用害怕日本人的入侵，再告诉他，我们美国的食物不都是用罐子装的，也不是所有人都住在国会大厦。”

“当然可以。”

女孩笑了。

“我哥哥不是认真的。”

“我不是认真的吗？老天！那个老家伙脑筋不清醒。应该有人告诉他。”

弗格夫妇一脸疑惑地笑着，一直在听我们交流。我尽可能以一种不得罪人的方式将这些话翻译成德语。他们笑得前仰后合。弗格一边笑，一边解释说，他们实在忍不住想拿美国人开个玩笑。匪徒党！国会大厦！接着，又是一阵捧腹大笑。很明显，这两个瑞士人完全不像看上去那样无知。

“他刚刚是怎么回事？”斯凯尔顿问道。

我跟他解释了一下。他咧嘴笑了。

“您肯定不会觉得他们的行为有问题，对吧？”说着，他向前倾了倾身子，认真地打量着弗格夫妇，“这种行为会动摇一个人对于人性的信仰。他们是哪里人，德国人吗？”

“不，瑞士人。”

“那个男人，”女孩评论道，“长得就像坦尼尔插图中的特威丹和特威帝一样。他为什么穿那样的裤子？”

“我猜，瑞士人的裤子都是那样的。”哥哥说道。

不过这时，遭遇这一讽刺的人正紧张地看着我们。他用德语跟我做了一番解释。

“年轻人，别把我们的玩笑当真。”

“他说，”我解释给斯凯尔顿兄妹说，“他希望没有冒犯到你们。”

这种回应倒是让年轻的斯凯尔顿有些意外。

"老天，不会的。是这样的——"他转身用德语跟弗格夫妇说道。"我们都很开心，您也很亲切。"他由衷地说道。之后他对我说，"算了，你就跟他说，没关系的，可以吗？"

我就此转达。双方频频点头微笑。后来，弗格夫妇独自在一旁聊了起来。

"那么说，您能讲几门外语？"斯凯尔顿问道。

"五门。"

他轻蔑地哼了一声。

"那您能好好跟我们讲一讲，"女孩接茬说道，"您是怎么学好外语的吗？不用五门都讲。不过，如果您愿意每门都讲一会儿，哥哥和我会非常非常感兴趣。"

这还真叫人不好意思。我把自己在多个国家的生活经历讲给他们听，还说要培养一双"学语言的耳朵"，接着我就问他们是不是已经在储备酒店住了很长时间。因为吃饭时都没有见过他们，我这样解释道。

"噢，我们已经在这里待了一周左右，"他回答说，"我们的父母下周要乘坐'萨伏伊伯爵号'轮渡从家乡赶来这里。我们去马赛港口跟他们会合。不过，您是星期二晚上才到这里的，对吗？"

"是的。"

"这就对了，所以您没遇见过我们。这几天，我们绝大多数都是在房间里用早餐，昨天我们从科赫那里租了一辆车，玩了一整天。哎呀，真高兴，终于可以跟人用英语交谈了。科赫的英语虽不差，可是他没有什么耐心。所以，我们只能跟那个英国少校和他的妻子说话。可那个人十分傲慢，妻子又几乎不讲话。"

"看来，"妹妹说道，"跟沃伦聊天，您得留点儿耐心了。"

我发现，这女孩虽远称不上"漂亮"，却非常迷人。她的嘴很大，鼻子不是很匀称，整张脸都是平的，颧骨却很突出。可是，她的嘴唇一动一动，让人觉得既讨喜又灵巧，还有鼻子和颧骨，一定能激起画家的灵感。再看她全身的皮肤，光滑、紧实，呈深褐色，那厚厚的、茶色的头发被躺椅靠背挤堆到前面来，散发出颇为迷人的魅力。我越发觉得，几乎可以用"美丽"来形容她。

　　"跟法国人相处让人头疼，"哥哥说道，"如果你没有把他们的语言讲得很标准，他们就会很生气。换作是我，即便法国人的英语讲得不好，我也不会生气。"

　　"不是生气，只是绝大多数普通法国人都喜欢自己语言的发音。他们不喜欢听别人不标准的法语发音，就像你不喜欢听初学者练习拉小提琴一样。"

　　"没有必要取悦他们那双喜欢仙乐的耳朵，"女孩发表自己的看法说道，"换个角度，如果可以，我会让他们吹口琴。"她站起身来，整理了一下泳衣。"好了，"她说，"我觉得，现在最好回去添些衣服。"

　　弗格先生从椅子上站起来，看了看那只硕大的手表，用法语说了句"已经7点15分了"。紧接着，他就又往上提了提裤子背带，开始收拾自己和妻子的东西。随后，我们前后一路纵队往石阶那边走去。我故意跟在两位年轻美国人的身后。

　　"对了，这位先生，"刚走了几步，他说道，"我还不知道您叫什么名字。"

　　"约瑟夫·瓦达西。"

　　"我叫斯凯尔顿。这是我妹妹玛丽。"

　　不过，我当时并没有听他讲话。因为我发现弗格先生宽大的后背上斜挂着一架相机，我正在努力地回忆之前在哪里见过一架跟这架很像的。后来我才想起来，原来是那架福伦达箱式相机。

像这种闷热的晚间，储备酒店都是把晚餐地点设在露台上。为此，还支了一个条纹凉篷，桌上有照明用的桌灯。这些灯一同亮起来的时候，还真是艳丽。

我已经想好，那天晚上一定要第一个赶到露台那里。原因有两点，其一，我实在饿坏了；其二，我想挨个儿观察一下这些宾客。可等我赶到时，已经有三个人就位了。

其中一个人正独自坐在那里，我故意朝他身后走去，这样一来，我坐在椅子上，朝右一转身就能看见他，不必直视。经过他那里时，我打算尽可能仔细地打量他一番。

当时，他正俯身用餐，再加上桌灯的遮挡，我并没有看得太清楚，只看到一头花白的短发，齐刷刷地梳向一侧，没有分缝。他穿着一件白色短袖衬衫、粗布裤子，明显的法国货。看来，这人不是安特烈·鲁就是罗伯特·杜克洛。

我坐下来，开始观察另外两个人。

这两人面对面坐在桌旁，死气沉沉。那位男士的头型比较窄，斑白的棕色头发，胡子修剪得整整齐齐。再看那位女士，中等年纪，大骨架，沉默无语，面色萎黄，一头白发打理得干净整齐。为了出席晚餐，两人都换了件衣服。她穿着一件白衬衫、一条黑色短裙。他穿的是灰色法兰绒裤子、褐色条纹衬衫，系一条英式斜纹领带，外面穿一件阔方格的骑手上衣。那人发现我在看他，就放下手里的汤匙，从桌上拿起一瓶廉价的红葡萄酒，对着光举起来。

"我敢肯定，亲爱的，"我听他说道，"那个新来的服务生把我们的酒喝了。午饭时，我很仔细地在瓶子上做了标记。"

他的发音是那种中上层人士的英式口音。女士听了，轻描淡写地耸了耸肩。看得出来，她并不在意。

"亲爱的，"他回应道，"我看的是事情的本质。应该有人阻止那家伙。我应该去提醒一下科赫。"

我看她又耸了耸肩，用纸巾轻擦了下嘴。接着，两人继续安静地吃饭。很明显，这两位就是克兰顿-哈特利少校和他的夫人了。

这时，其他宾客陆陆续续都到了。

弗格夫妇坐在两位英国人那边，桌旁是露台扶手。另一对则朝靠墙的那张桌子走去。

这两位肯定是法国人没错了。男的皮肤黝黑，双眼突出，胡子拉碴的下巴，看上去35岁左右。女的身材极瘦，一头金发，穿着绸缎质地的沙滩睡衣，耳朵上挂着葡萄粒大小的仿珍珠耳环，年龄可能比男的要大。看得出来，他们对彼此很感兴趣。他为她拉开椅子，扶着她的胳膊，让她坐下。她一边偷偷掐了一下他的手指作为回应，一边迅速地瞄一眼周围，看看有没有别的宾客注意到。我发现，同样目睹了这一幕的弗格夫妇正小声地笑个不停。弗格先生隔着桌子朝我眨了眨眼。

我猜，那位金发女郎应该是奥黛特·马丁。那么，跟她坐在一起的人要么是杜克洛，要么就是安特烈·鲁。

接下来，玛丽·斯凯尔顿和她哥哥来了。他们友好地冲我点了点头，朝我右后方的一张桌子走去。只差一个人还没有来。等他到了，我才知道，原来他是一个上了年纪的人，白花花的胡子，戴着一副黑色宽带夹鼻眼镜。

服务生来收汤盘的时候，我拉住他。

"有什么能帮您的吗？"

"那位白胡子先生是谁？"

"那是杜克洛先生。"

"金发女士旁边的那位先生呢？"

服务生诡秘地笑了。

"那是鲁先生和马丁小姐。"语气稍微强调了一下"小姐"。

"原来是这样。那么，哪一位是席姆勒先生？"

他挑了挑眉毛。

"席姆勒先生？储备酒店没有姓这个的。"

"你确定？"

"十分确定，先生。"他有些不解。

我回头瞥了一眼。

"茶几那边的先生是谁？"

"那是保罗·海因伯格先生，一名瑞士作家，也是科赫先生的朋友。您要来点儿鱼肉吗，先生？"

我点点头，他匆匆走开了。

我一动不动地坐了一两秒钟，保持冷静，手却发起抖来。我把手伸进口袋里摸到贝金给我的名单，把它夹在纸巾里拿出来，低头仔细看了一遍。

我早把这些名字背得滚瓜烂熟了，根本就没有海因伯格。

5
埃米尔

我得承认，当时的思绪有些混乱。吃鱼的时候，我开始一通胡思乱想。想象着自己凭借这一新发现去贝金那里，幸灾乐祸地等着看他的笑话。这种事，每一分钟都让人觉得很享受。我美滋滋地斟酌着这番话。

到时，我一定很酷，很威风。

"那么，贝金先生，"我会这样说，或者比这更牛气一点儿，"那么，贝金！当初您给我这份名单的时候，我理所当然地以为，除了储备酒店的工作人员以外，所有在店宾客的姓名都在上面。结果，我的第一个发现就是，保罗·海因伯格居然不在其中。您对他了解多少？他为什么没有登记？请尽快找到这些问题的答案，不得延误。还有，我的朋友，我建议您查查他的所属物品。如果说还是找不到康泰时蔡司相机和它里面那些带有尼斯狂欢节照片的胶卷，那才让我感到意外呢。"

这时，服务生过来将我的盘子收走。

"还有一件事，贝金，调查一下科赫。服务生说海因伯格是他的一个朋友，也就是说这个经理也牵涉其中。我倒不觉得意外。因为我早就注意到，他对我那架相机异常感兴趣。他很值得一查。您自以为对他了如指掌，对不对？这么说吧，如果我是你，我会加倍仔细地调查一番。要知道，我的朋友，过早下结论是很危险的。"

这时，服务生给我上了一大份储备酒店做的红酒烩鸡。

"有我帮忙，您可真是幸运至极，我亲爱的贝金。"

不，这话听着有些花哨，而且拖泥带水。那就再添些气势。

"好好调查一下那个姓海因伯格的人，我亲爱的贝金。"

不，这样显得太过死板。或许，最好给他个逗趣的微笑。于是，我开始尝试练习这种逗趣的微笑，正练习到第四遍的时候，服务生注意到了我的表情。只见他一副不知所措的样子，急急忙忙地赶过来。

"红酒烩鸡有什么问题吗，先生？"

"不，不是，没什么。味道很棒。"

"对不起，先生。我以为……"

"没事。"

我的脸通红，继续吃饭。

不过，他这一打断，把我拉回到现实中。话说回来，这真是我的重大发现吗？这个保罗·海因伯格有可能是那天下午才到的。如果是这样，或许酒店还没来得及向警方提供他护照上的详细信息。可是，那个埃米尔·席姆勒又在哪里？服务生说得很明白，酒店里没有叫这个名字的客人。或许是他的失误，或许是警方的失误。无论如何，除了一早将此事报告给贝金以外，别无他法。必须等。可是，时间在一分一秒地过去。最早也要等到明早9点才能打电话。这样就浪费掉了12个小时。总共60小时，还要刨除12小时。我居然还一心惦记着星期天能离开这里。要是能给马西斯先生写封信就好了，跟他解释（或者撒谎）说我病了。可惜不能这么做。我该怎么办呢？那个拿了我相机的人，他肯定不是傻子。间谍都是精明、狡猾的。我还指望找出什么线索呢？60小时跟60秒又有什么区别。

服务生到我这里收盘子。正收的时候，他不以为然地看了看我的双手。我低头一看，发现手里正摆弄一只甜品勺，已经被我折弯了。见此情景，我立马将勺子掰直，之后站起身离开了露台。再也不觉得饿了。

我穿过屋子，来到花园区。有一处地势稍低、可以俯瞰整片沙滩的花台，花台里有一个小亭子，那里通常没有人去。我便去了那里。

太阳落山，天色黑下来。海湾那边的山丘上空，已经出现了闪闪的星星。微风变得稍微强劲了些，刮来阵阵海藻味。我把滚热的双手放在冰凉的砖砌围墙上，任微风从脸颊吹过。身后花园里的某个地方，有一只青蛙在呱呱地叫。海水轻抚着沙滩，几乎听不到一点儿声响。

远处海面上，灯光一闪，之后就消失了。可能是船只之间在传递信号。或许，一艘是向东急速行驶的客轮，在波光粼粼的海面上，发出哗啦啦的声音，另一艘是载货不多的货船，借着半浸式螺旋桨的推力一路朝马赛驶去。此时此刻，客轮上的人可能在跳舞，或者是倚在散步甲板上欣赏那即将升起来的明月，听着海水撞击在船板上发出的咕噜噜气泡声和嗞嗞声。在他们脚下，在船底，半裸着身子的水手们在燃油锅炉的轰鸣声和螺旋桨的砰砰声中挥洒着汗水。我要是在船上该多好……

围绕海湾的那条路上，开往土伦的汽车车灯一闪而过，一下子把水面照亮，随即就消失在了树林中。我要是在车里该多好……

这时，身后传来一阵鞋子踩在砂石坡道上的声音，有人正沿着通往这边花台的台阶走下来。听那脚步声已经下了最后一级台阶。我祈祷着声音的主人会往右转，别往我这边来。接着，脚步声停止了，是在犹豫。之后，我听见一阵沙沙声，像是有人拨开那横悬在路上的藤蔓植物，朝亭子这边走来，紧接着，衬着那蓝黑色的天空，我隐约看出一位男士头部和肩膀的轮廓。原来是那位少校。

只见他迟疑地盯着我看了看，随后倚在围墙上遥望着整片海湾。

我的第一反应是离开。一点儿也不想跟这位来自巴克斯顿的赫伯特·克兰顿-哈特利少校讲话。转念又记起年轻的斯凯尔顿对这位少校的评价。他说他"傲慢"。想来，他不太可能屈尊跟我讲话。没想到，我错了。

我们两人倚着围墙站了不下十分钟，他才开口说话。说实话，我都忘了他的存在，只听他冷不丁地清了清嗓子，赞叹了一下那晚尚好的天气。

我表示了赞同。

又是一段很长时间的沉寂。

"8月的天气还真舒爽。"终于，他开口说了句。

"我也这样觉得。"我心里在想，他是真的在考虑天气问题，认为这样的天气很舒爽，还是只想找个话头。如果他真想谈论天气，那么，出于礼貌，此时的我应该用心去体验一下这微风。毕竟，我在英国的那段日子可不是白待的。

"来这里很长时间了吗？"

"1天左右吧。"

"那么，以后就可以时常见到你了。"

"那太好了。"

想来，怎么能说这个人"傲慢"呢。

"本以为你不是英国人。可晚饭前听您和那个年轻的美国人聊天。请别介意，我想说的是，您长得可不像英国人。"

"我怎么会介意呢。我是匈牙利人。"

"真的吗？我之前以为您是英国人。我太太这么说，不过她没听过您说话。"

"我在英国待了10年。"

"噢，原来如此。这就说得通了。是打仗的时候去的吗？"

"不，那时候我还太小。"

"噢，对，您当时还小。战争都已经成了古老的历史，对于我们这些老头子来讲，总是意识不到这点。我亲身经历了1914年到1918年的战争。1918年3月开展大规模进攻时，我刚好有了自己的部队。可一周之后，我就受了重伤。真是倒霉。后来，我转而当了一名副官，再后来就退役了。不过，这其实跟运气没有什么关系。早就听闻奥匈人都善战。"

听这话的意思，好像用不着我给予回应，接着就又是一阵沉默。后来，他开口问了一个无厘头的问题。

"您觉得我们那位尊敬的经理为人怎么样？"

"谁，科赫吗？"

"大家都那样称呼他，是不是？对，就是科赫。"

"嗯，我也说不清楚。他看上去是一个非常称职的经理。只是——"

"对嘛！一定有'只是'！邋遢、不修边幅，放任那些该死的服务生为所欲为。要知道，他们偷客人的酒喝，被我发现了。科赫应该给他们定些规矩。"

"这家酒店的食物不错。"

"嗯，对，食物还好，可是光食物好不够，其他方面也得让人舒服放心不是？如果我是这里管事的，我会制定一些做事的规矩。您常和科赫聊天吗？"

"不。"

"那我来给您讲讲他的一些趣事。前些天，我亲爱的太太同我一起去土伦购物。买完东西以后，我们就去了一家咖啡厅喝点儿开胃的饮料。可是，正当我们要点单的时候，居然看见了科赫，他急匆匆地经过，我之前从未见过他走得那么快。他没注意到我们，我刚想过去叫他过来喝点儿东西，却见他穿过马路进了对面的小巷。经过两三道门后，他迅速瞥了一眼周围的状况，看是否有人发现，随后就进了一道门。于是我们就继续喝东西，一直盯着那道门，可他再也没出来。您猜怎么着？等我们到汽车站的时候，他居然也在，千真万确，就坐在返回圣加蒂安的汽车里。"

"太奇怪了。"我小声嘟囔道。

"我们也这么觉得。而且我得承认，我们当时确实被惊到了。"

"那是自然。"

"等等。最精彩的部分还没有跟您讲。您认识他太太吗？"

"不认识。"

"典型的母夜叉。她是法国人，年龄比他大，我猜，她手里应该是有点儿积蓄的。总之，她把我们这位阿尔伯特管得死死的。他喜欢去海滩那边跟宾客们闲侃、游泳。通常都是由她负责照管酒店，盯着那些女服务生，她还喜欢把他放在眼皮子底下看着。所以，每次他去海滩，待不到十分钟，她就趴在露台上，铆足了劲儿喊他，召唤他回去。还要当着所有宾客的面！她就是这样的女人。想不注意都不行，而且，您可能觉得科赫会很尴尬。他才不呢。他只是笑——您知道的，他那种慵懒的笑，嘴里嘟囔几句法语，惹得法国佬们一通大笑，估计是些劲爆的内容，总之，他对她言听计从。

"那天，我们也上了那辆车，跟他打招呼。当然了，我们忍不住跟他说，之前在镇子上看到了他。不妨跟您讲，我当时看得很仔细，就是他没错，可说出来您都不会相信，他居然丝毫没有反应！"

我小声表示了一下惊讶。

"是真的。完全没有反应。嗯，我以为他是想拒不承认这件事，说我们看错了。因为我和我亲爱的太太马上就想到，他去的那个地方是一家水手会所，有两个出口，他在那里有了情投意合的人。真是太令人难以启齿了。"

"您的意思是？"

"是这样的，跟您说，那家伙根本没有抵赖，一副无所谓的样子。他说，他不太喜欢他妻子，更喜欢那里一个有着深褐色头发的女人。还真是让人大跌眼镜。不过接下来，他开始咧着嘴色眯眯地跟我们讲那女人的魅力，他一提到这些，我就觉得应该赶紧让他打住。我亲爱的太太可是个有信仰的人，于是我就强烈暗示他，我们不想听这些。"少校仰头看着星星说道。"女人会对某些事情比较敏感。"他又说了一句。

"我也这么觉得。"除此之外，我还能说些什么呢？

"女人哪，真是种有趣的生物。"他若有所思地说道，接着露出了短暂而会心的微笑。"说来，"他开玩笑道，"您是匈牙利人，肯定比我这个老兵更懂女人吧？对了，我叫克兰顿-哈特利。"

"我叫瓦达西。"

"噢，瓦达西先生，我得回去了。夜晚的风可能对我的身体不太好。我通常会在晚上跟那个法国老头杜克洛打一打俄式台球。据我所知，他在南特有一家水果罐头厂。不过，我法语不太好。也有可能他只是那儿的一个经理。老伙计人很好，就是喜欢在你不注意的时候投机取巧，给自己多算几分，其实只是他自以为我没看到罢了。不过，总让人心里有那么一点儿不舒服。"

"那肯定。"

"行了，我回去睡觉了。今晚就把台位让给那些年轻的美国人吧。一个漂亮的姑娘，还有一个不错的小伙子。不过，他的话太多了。这些年轻人要是能到我的老上校手下管管就好了。允许他说话他才能说，这是下级必须遵守的规定。好了，祝您晚安。"

"晚安。"

随即，他离开了。走到最上边几层台阶时，他开始咳嗽起来。那声音听起来真让人难受。他走过去以后，虽然脚步声消失了，却依旧在喘粗气，像是要窒息了一样。我之前曾经听到过那样的咳喘声。咳喘的人是在凡尔登中了毒气。

很长一段时间，那里都是寂静无声的。我抽了几支烟。查一查科赫！嗯，贝金肯定是要去调查一番了。

月亮已经升上来了，月影下，一丛丛竹竿的轮廓清晰可见，右边是一小块沙滩。我朝那边望去，正好看见两个人影在动，耳边传来一个女人的笑声。那声音既轻柔又动听，时而顽皮，时而温顺。接着，一对情侣出现在月光下。我看到男人停住脚步，将女人拉到自己身边。男人的双手捧起她的头，亲了亲眼睛，又亲了亲嘴。原来是那个胡子拉碴的法国人，还有他的金发女郎。

我观察了他们一会儿。他们先是聊天，之后又坐在沙滩上，他给她点了一根烟。我看了看手表，已经10点30分了。随即，我把烟掐灭，准备沿花台走上石阶。

其间的道路陡峭而曲折。我一边往上走，一边慢慢地用手拨开那些从道路两旁伸到面前的树枝。最顶层台阶与酒店入口之间有一处铺砌好的小院。我的皮凉鞋很柔软，走路时不发出一点儿声响。离门口还有一半距离的时候，我停下了，一动不动地站在那里。厅里漆黑一片，只有一丝光亮从科赫办公室的玻璃隔板透出来。办公室的门开着，里面有人在说话——是科赫，还有另一个人的声音。他们在用德语交流。

"我明天再试一试，"科赫说道，"不过，恐怕还是不行。"

又是一阵停顿。另外那个男人开口说话了。他的声音比科赫要低沉，只是语音太轻，几乎听不清他在说什么。

"为了我，你必须再努努力，"他语速很慢地说道，"我一定要弄清楚情况，一定要搞清楚接下来要怎么做。"

又停了一下。接着，科赫用异常柔和的声音说了句话，以前从未听过。

"你什么都做不了，埃米尔。只能等。"

埃米尔！我一听，几乎无法抑制自己激动的情绪。可这时，那个男人，也就是埃米尔，他又说话了。

"我已经等了太长时间。"

两人再一次停住了。我能感受到，气氛有些不对，带有某种情绪。

"好吧，埃米尔。我再试一次。晚安，睡个好觉。"

那个男人并没有应答。大厅里有一级台阶，这时，我的心就快跳到了嗓子眼，赶紧躲到外墙的阴影里。紧接着，一个男人走了出来，在门口站了一会儿。我认出了那身衣服，可那张面孔，以前从未见过。他就是服务生说的海因伯格。

他一路快步走到露台，有一瞬间，月光投射到他脸上，我看见他那薄而紧实的嘴唇，结实的下巴，双颊深陷，丰满而宽大的额头。不过，这些特征都不重要，我并不太在意。吸引我注意的另有所在，那是我自从离开匈牙利之后再也没见过的：那是一种人类几近绝望，唯有一死才能结束痛苦的眼神。

我打开百叶窗，拉上窗帘，爬到床上，松了一口气。真是太累，太累了。

我闭上眼睛，静待自己整个人沉入梦乡。可是，思绪太乱，根本无法静下心来。此时，我脑袋发热，枕头也变得热乎乎、黏糊糊的。翻来覆去了好一阵子。我把眼睛睁开，又闭上。保罗·海因伯格是埃米尔·席姆勒，埃米尔·席姆勒也是保罗·海因伯格。科赫必须继续努力，席姆勒一定要弄清楚状况。席姆勒和科赫——间谍，两个都是。我已经找到了真相。什么时候去汇报情况？明天一早。还要等好长时间。可以早一点儿。6点钟。不行，邮局还没开门，贝金应该还没有起床。他一定是穿着睡衣。可恶的胖子。他应该马上知道这件事。太荒谬了。老天，可是我太累了。必须睡觉。海因伯格就是席姆勒。都是间谍。

我下了床，裹上一条浴巾，在窗边坐下来。

海因伯格就是席姆勒。必须立即拘捕他。以什么罪名呢？提供给警方错误的姓名？警方手里有他的真实姓名。埃米尔·席姆勒——德国人——柏林。服务生告诉我，他姓海因伯格。即便一个人的真实姓氏是席姆勒，告诉别人说他姓海因伯格，难道就犯法吗？可一细想，这又能说明什么问题呢？席姆勒和科赫都是间谍，一定都是间谍。他们拿了我的相机。此时此刻，他们一定在想那些照片的去向。

可是，我又无法抛开心里的疑问：席姆勒脸上的表情似乎跟相机或是照片没有任何关系。还有，对于他这个人……他的声音，他的表情……可是，无论你觉得他应该长什么样，间谍总不能一眼看上去就像个间谍吧，又不是大张旗鼓地招揽生意。全欧洲，全世界，都有间谍。而且与此同时，政府机构的另一些人在统计间谍的劳动成果：装甲钢板的厚度、火炮的仰角、出口速度、火控装置以及测距仪的详细信息，融合效率，防御工事的详细信息，弹药库的位置，重点工厂的部署，轰炸地标。全世界都在为战争做准备。对于军火制造商和间谍来讲，生意还是不错的。最好再开一家间谍局（一种类似中央结算所的机构，为这种重要信息作结算），会很赚钱。接着，我脑中浮现出这样的情景：科赫快步走进一条小巷，而后转身进了一道门，接着从另一个出口离开。若他真在外面有女人，会如此无所顾忌地承认自己有情妇吗？除了那个英国少校，有哪个傻瓜会相信。这种事，还是我更了解。军事总部在土伦。科赫和席姆勒。席姆勒和科赫。都是间谍。

我打了个哆嗦。晚间越来越冷了。于是，我回到床上。

可是，等我再一次要闭上眼睛时，又想起了一件令人担忧的事，它在我脑中不断地出现，而且越发膨胀起来。想来，这种可能性极为糟糕：假设有宾客从酒店离开了怎么办？

这种情况很有可能发生。就在明天，弗格先生，或者杜克洛先生，或者鲁先生和他的金发女郎，任何人都有可能会说："我决定了，马上就走。"我想，有人可能已经打包好行李准备明早离开了。我要怎么做才能阻止他呢？如果我误会了科赫和席姆勒怎么办？如果鲁先生和那位金发女郎是外国特工，用的是伪造的法国护照该怎么办？如果那两个美国人、瑞士人或者英国人是间谍该怎么办？他们会从我的眼皮子底下溜走。等问题出现了再想办法解决吧。可是这样的自我安慰无济于事。那样或许就太晚了。我到底该怎么做？现在要抓紧行动！若是明天一早他们都走了，只留下我一个人，那该怎么办？向贝金要一把手枪。对，就这样，从贝金那里要一把手枪。这样就可以阻止有人乱来了。"站住，不要动，否则，我立即将你就地正法。"枪里要放十发子弹。"给他们每人一枪。"不，还是八发子弹吧。这要看手枪的规格了。看来，我还是要两把枪吧。

我又把衣服穿上，坐了起来。照这个样子，到了明天一早我可能会疯掉。于是，我去洗手盆那边用冷水洗了个脸。我告诉自己，这肯定是在做梦。可我十分清醒，知道自己根本没在睡觉。

我拉开窗帘，看着窗外沐浴在月光下的冷杉树。我必须去核实一下情况，冷静——冷静，再冷静。贝金说什么来着？

我一定是在那里站了好长时间。因为等最后回到床上的时候，海湾那边的天空已经逐渐地亮起来了。我整个人都被冻僵了，还好心绪终于安定了下来。因为我已经有了一个计划，而且用我疲惫的大脑衡量一下，这计划绝对可靠。

当我再一次将眼睛闭上时，头脑中又闪现出一个想法。总觉得英国少校那番话哪里有些不对劲，很小的细节。不过，再也不要去想了。就这样，我睡着了。

6

摔　门

一早醒来时，头有些痛。

昨晚我忘了拉窗帘，清晨的阳光透过窗户照射进来，已经是火辣辣的了。又是一个大热天。还有好多事要做。可能的话，我必须第一时间给贝金打电话。之后，我要按计划采取行动。令我感到欣慰的是，此时此刻一觉醒来，这个计划一如夜里那般禁得住推敲。我逐渐感觉好多了。

我很早就到了露台那里，吃牛角面包、喝咖啡的时候，我暗自为自己感到高兴。我，一个神经兮兮又对暴力行为极度恐惧的人，居然在短短几小时的时间里，想出了一个精妙而缜密的计划，去抓捕那个危险的间谍。而就在几小时前，我满脑子想的都是星期一早上无法准时赶回巴黎这件事！想来，大脑神经还真是会捉弄人！第二杯咖啡下肚后，头痛感逐渐消失了。

起身离开时，我恰好从弗格夫妇桌旁经过。我停下脚步，问了句早安。

这时我发现，这两位的表情看上去异常凝重。回应我的时候，笑容完全是不走心的，很冷淡。弗格先生一定是注意到了我好奇的目光。

“今早，我们心情有些不好。”他说道。

“噢，真不好意思。”

"瑞士那边传来了不好的消息，"他轻轻拍了拍桌子上的一封信，"一位亲爱的朋友去世了。如果我们表现得有些心不在焉，还请您体谅。"

"那是当然。我听了也很难过。"

很明显，他们这是在给我下逐客令。于是，我知趣地走开了。接下来的一件事引起了我的注意，令我无暇再顾及这二位。我发现自己被人跟踪了。

邮局就在村头的杂货店里。往山下走的时候，我发觉有个人一直在我身后几步远的地方晃悠。到了第一家咖啡厅，我停下来，朝身后看了看。他也停了下来。原来是前一天拘捕我的那名警卫。他亲切地朝我点了点头。

我找了个位子坐下，他走过来，跟我隔着两张桌子坐下。我招手让他来我这里。他起身过来，态度还是很友好的。

"早上好，"我冷冷地说道，"我猜，有人让你跟踪我对吧？"

他点了点头。"很抱歉，事实的确如此。我觉得这太累人了。"他低头看了看自己穿的这身黑色礼拜日套装，"这身衣服太热了。"

"为什么还要穿呢？"

只见他那张修长、狡猾的乡下人脸颊突然拉得老长。

"我是在祭奠我母亲。她去世刚4个月。得了结石。"

服务生走过来。

"您喝点儿什么？"

他想了想，点了杯柠檬汽水。我让服务生去准备，随后站起身来。

"现在，"我说道，"我要去街边的邮局给贝金先生打电话。稍微离开你视线一会儿，用不了五分钟。你就坐在这里喝饮料。回头我再跟你会合。"

他摇了摇头："我的任务就是跟着你。"

"我知道，可我不喜欢让你跟着。这让人很不舒服。还有，到时候，村子里所有人都会知道你在跟踪我。我不喜欢那样。"

他脸上显现出执拗的表情。

"我接到的指令就是跟着你。我不能收受贿赂。"

"我这不是在贿赂你。我是在请求你考虑一下，这样对你我都好。"

他又摇了摇头。

"我知道自己的职责是什么。"

"很好。"我出了咖啡厅，来到街上，边走边听见他在和服务员理论那杯柠檬汽水到底该由谁来买单的问题。

很明显，邮局的电话绝对是公用的。电话的一旁是挂在棚顶的一大串蒜蓉香肠；另一边是一堆空餐袋。这里没有橱柜。我拿起电话，用手半扣住话筒，对着语音接收器小声说了句"警察局"，瞬间，仿佛整个圣加蒂安的人都在竖起耳朵听我讲话。

"您找哪位？"终于，一个低沉的声音用法语说道。

"是贝金先生吗？"

"不是。"

"是警长先生？"

"您是哪位？"

"瓦达西先生。"

"稍等。"

我等了一会儿。接着，电话那边传来了警长的声音。

"你好！瓦达西？"

"您好。"

"有事要报告吗？"

"是的。"

"拨这个号：土伦市8355，然后找贝金先生。"

"好的。"

他挂了电话。原来警长的职责就是监视我，保证我留在圣加蒂安，仅此而已。我拨了土伦市的8355号码。待我表明意图，立马产生了奇妙的效果。负责转机的姑娘从南方缓慢的拖长音一下子切换到公务化的断音。不到五秒钟，电话接通了。又等了两秒钟，电话那边传来了贝金的声音。电话里，只听他不耐烦地尖声说道：

"是谁给你这个号码的？"

"警长。"

"了解到有关相机的信息了吗？"

"还没有。"

"那为什么来烦我？"

"我发现了一些线索。"

"哦？"

"那个德国人，埃米尔·席姆勒，他自称是保罗·海因伯格。我偶尔听到了他和科赫之间的对话，听着可疑。毫无疑问，席姆勒就是那个间谍，科赫是同伙。科赫还去过土伦的一家会所。他说是去那里见一个女人，但很有可能是在说谎。"

说着说着，我发觉心中的自信就像筛子里的水一样，一点点流尽了。那些话听上去太蠢了。电话那边传来一阵响动，我猜一定是对方在极力地憋住笑声。不过听了接下来这番话，我才知道是自己想错了。

"听着，瓦达西，"贝金生气地尖声说道，"我给你布置了明确的任务。让你查清楚哪位宾客手里有相机。可没让你自作聪明，或者说，没让你扮演侦探的角色。你有你的任务，而且是清晰明了的。为什么还不去执行？难道想回牢房去吗？我再也不想听到这种废话。立刻回到储备酒店去，问问那些宾客，一有相关消息就立刻汇报。其他方面也是一样，管好你自己的事。明白吗？"电话一下子被挂掉了。

柜台后面那个人正一脸好奇地看着我。一定是因为我的心情过于急切，想让贝金了解这一重要线索，所以说话的声音大了些。我瞪了那人一眼，随即离开了。

一出来我就看见了那个热得满脸通红、心焦气躁的警卫。我大步流星地在街上走着，他上前来拉住我的胳膊肘，在我耳边窃窃私语一番，说我欠了他85生丁[1]，外加小费，总共1法郎25生丁。他在不停地唠叨，说那杯柠檬汽水是我点的，所以应该由我来买单。如果不是我邀请他过去，他是不会点柠檬汽水的。政府不给他报销这部分开支。我必须拿出1法郎25生丁来。其中，85生丁是柠檬汽水钱，外加8个苏的小费。他这个人，手头没什么钱。懂得恪守职责，不会受人贿赂。

我没什么心思听他说这些。接下来，我要去宾客那里打探一下，看看他们谁手里有相机！真是疯了。谁都能想到，这样做一定会把间谍吓跑。贝金就是个傻子，我还得听他指示。一切都得仰仗他。管好我自己的事！可话又说回来，连抓间谍这件事都与我无关，到底什么事跟我有关？如果被他溜了，我就什么都没有了。早听人说，情报局一向是蠢得出名。这件事就足以证明他们的愚蠢。这么说吧，如果我脑子一根筋地相信贝金和土伦海军情报局，恐怕星期一赶回巴黎的希望会十分渺茫。我要按照自己的想法去做，请多谅解。这样更加稳妥些。一定要揭穿席姆勒和科赫的身份。而且，这件事必须由我来做。我要按照最初的想法执行自己的计划。等我把他想要的证据拿到他跟前时，再看他惊呆的样子吧。至于找相机这件事，我不打算直接去问。我一定能调查出来，而且这个计划不会造成任何损失。只不过，我得私底下悄悄地进行。

"85生丁，加上8个苏的小费……"

---

[1] 100生丁＝1法郎，1苏＝5生丁。

到了储备酒店门口，我给了那名警卫2法郎，之后就进屋去了。转门转过来时，我朝身后看了看。他正靠在门柱上，黑帽子顶在脑后，跟那2法郎硬币送飞吻。

随后，我在酒店门口遇到了斯凯尔顿兄妹。他们穿着泳衣，带了外套、报纸、太阳镜和几瓶防晒油。

"你好呀！"他说道。

女孩跟我相视一笑。

我说了句，你们好。

"要一起去海滩吗？"

"我先去换衣服，随后就到。"

"别忘了把你一口流利的英语也带来。"他在我身后喊道。紧接着，我听到他的妹妹对他说："闭嘴，别烦人家这位善良的绅士。"

几分钟后，我再次下楼，穿过花园区来到通往沙滩的石阶上。没想到，好运说来就来了。

眼看就要走到第一层露台，迎头传来一阵兴奋的尖叫声。下一刻，只见杜克洛先生神色匆匆地朝酒店这边跑来。不一会儿，沃伦·斯凯尔顿也跟在他后面跑上了台阶。从我身边经过时，他嘴里甩出来一句话。我听到其中有个词是"相机"。

我赶紧来到露台上，这才明白大家神色匆匆的原因。

原来，有一艘白色的大帆船正全速驶进海湾。一队身穿白色牛仔服、头戴棉质遮阳帽的人沿着帆船那雪白的甲板一字排开。我看见它时，它正迎风而上。斜桁落下来的时候，其他帆哗啦哗啦一阵响，主帆也打起皱来。上桅帆、三角帆、支索帆跟着纷纷收拢，船头翻腾的水浪化作了一道长长的、深深的涟漪。锚链咔嗒一声响。

一群看热闹的人聚在露台的一头。有穿泳裤的科赫、玛丽·斯凯尔顿、弗格夫妇、两个英国人、法国情侣、席姆勒，还有一个身材矮小、体态丰满、身穿工作服的女人。我猜，这应该就是科赫太太。这些人有的手里拿着相机。我急忙赶去他们那边。

科赫正拿着一架电影摄像机眯着眼睛往镜头里瞧。弗格先生正兴奋地给相机上新胶卷。克兰顿-哈特利夫人拿起搭挂在丈夫脖子上的双筒望远镜仔细望着那艘帆船。马丁小姐在爱侣悉心的指导下操作一架小型箱式相机。席姆勒站在离人群稍远的位置，看科赫摆弄那架电影摄像机。他看上去气色不太好，有些疲累。

"真好看，是不是？"

说话的是玛丽·斯凯尔顿。

"是啊。我刚刚还纳闷，你哥哥为什么一路追在那个法国老先生身后跑。不知道是怎么了。"

"他回去取相机了。"

话音刚落，她哥哥就回来了，手里拿着一架价格不菲的柯达相机。"到这边来，伙计们，"他大声说道，"到这里来，给自己拍张照片，回去拿给亲友们看看，多神气啊。"说着，他拍了两张帆船的照片。

紧接着，杜克洛先生一路小跑过来，提着老大一架样式非常古老的盒装胶片单反相机。他一边喘着粗气，一边打开镜头罩，爬到露台护栏上。

"你猜，他拍照时会把胡子放在取景器里面还是外面？"斯凯尔顿小声嘀咕。

只听咔嚓一声响，杜克洛先生按下了单反相机的快门，静待片刻之后，又听得咔嗒一声，他松开了快门。紧接着，他一脸得意地从护栏上爬下来。

"我打赌，他忘了放感光底片。"

"那你输了，"女孩说道，"他刚把底片拿出来。"

正在这时，杜克洛抬起头，发现我们在盯着他看，脸上不禁堆出笑容。随后，眼神里忽然露出一丝顽皮。他换上胶卷，对着我们三个举起相机。斯凯尔顿见状，赶紧走到了妹妹前头，准备开溜。下一秒，妹妹下了台阶，往海滩那边跑去了。杜克洛抬起头，一脸的失望。

"告诉他别浪费了那么好的底片。"斯凯尔顿经过我身边时在我耳边小声叮嘱道。

"怎么回事？"

"请您转达给他。"

此时的杜克洛先生已经没了兴致。待我再次转身，发现斯凯尔顿早就跟妹妹跑开了。

少校和克兰顿-哈特利夫人正倚在最上边几层台阶的护栏上。只见他点了点头。

"算得上一件不错的小工艺品，瓦达西。看它的样子，应该是英国制造的。我17岁时曾在诺福克湖区乘帆船度过假。真豪气呀！不过得花很多钱。你去过诺福克湖区吗？"

"没有。"

"真豪气呀！对了，本打算要给你介绍一下我亲爱的太太。这位是瓦达西先生，亲爱的。"

她面无表情、冷冷地看着我。不过，直觉告诉我，她是在仔细地打量我。不知为什么，我当时真希望自己能再多穿几件衣服。她挑起一边的嘴角，浅浅地笑着，点了点头。我鞠了个躬，觉得有些不自在。恐怕任何形式的口头问候，都会被她看成是鲁莽之举。

"我们待会儿可能要去打几杆俄式台球。"她的丈夫轻声插话道。

"真好。"

"那么，回头见。"

克兰顿-哈特利夫人简单地点了点头。

意思是谈话结束了。

浴场的一个角落里，我发现斯凯尔顿兄妹正躺在遮阳篷下面的沙滩上。他们为我留了位子，我坐下来。

"您一定不会介意我们刚才那样跑开吧？"他说，"可是，玛丽从小就害怕别人给她拍照。是不是，玛丽？"

"是啊。我的保姆被一个新闻摄影记者迷得神魂颠倒，无法自拔。'永远不要相信拿相机的人，'她过去经常这样叮嘱我，'即便那人是个五十几岁、留着白胡子、身体又不中用的老人。'我讨厌别人给我拍照。还有，瓦达西先生，您以前见识过像那两个瑞士人一样的怪人吗？"

我循着她的目光望过去。只见弗格先生把相机架在一个钢制三脚架上。弗格夫人则站在镜头前，满脸羞红，咯咯地笑个不停。我看到他们的时候，弗格已经按下了延迟拍摄快门，急急忙忙地绕过三脚架来摆姿势，胳膊搂着妻子。相机发出微弱的吱吱声，紧接着，只听快门咔嚓一下，随后便传来弗格夫妇那雷鸣般的笑声。看来，这二位早就把好朋友去世这件事忘得一干二净了。

那对法国情侣和科赫像看笑话一样欣赏着这两个怪人。这时，科赫回过头来瞥了我们一眼，看我们是不是也在看热闹。接着，他就朝这边走过来。

"老实说，科赫，"斯凯尔顿说道，"这二位是不是你花钱雇来给客人取乐的？"

他笑着回应道："我倒是想请他们一直住在这里，作为大家永久性的观赏品。"

"我能理解你。这两个瑞士人，人不错，爱开玩笑，恨不得每说一句话都要哈哈大笑一场。在纽约成功耍了一通宝后又直奔这里。时不时还来个肥仔时装秀。"

科赫看上去有些不解。

"别管他，"女孩说道，"他在开玩笑。对了，不知我猜错没有，刚刚跟您说话的那两个法国人，他们俩是不是关系不一般？"

科赫笑了笑，刚要回答，只听露台上传来一声刺耳的吼叫，气氛立马变了。

"阿尔伯特！"

我抬起头，目光掠过遮阳篷边缘。原来，科赫夫人正俯身在护栏上，双手拢在嘴边大喊。

"阿尔伯特！"

科赫连头都不抬一下。

"宣礼塔[1]上传来的声音，"他淡淡地说道，"是在召唤信徒去祈祷。"说着，他朝我点了点头，抬腿往台阶那边去了。

"要知道，"斯凯尔顿心不在焉地说了句，"如果我是阿尔伯特，我会把一只漂亮的袜子塞进那个女人的嘴里。"

"太野蛮了。"妹妹小声嘀咕道，接着她问我，"去游个泳怎么样，瓦达西先生？"

她和哥哥都是游泳健将。结果，我用呆板的侧泳泳姿费了好大劲儿才游了大概50米远，可这时候，他们已经游到了帆船停着的地方，差不多横跨了半个海湾。我只好慢悠悠地游回到沙滩上。

此时此刻，两个瑞士人正在水里嬉戏。严格来讲，至少弗格先生是在水里的。弗格夫人正躺在一只橡皮筏上大笑，丈夫在她旁边欢呼雀跃，一边兴奋地泼水，一边来回切换真假音，扯着嗓子高歌。

我回到遮阳篷下面，用浴巾把头发擦干。接着，我躺下来，点了一根烟，想起心事来。

---

1 是清真寺常有的建筑，用以召唤信众礼拜。

相机的情况已经越发明朗了。我根据观察结果在脑子里草拟了一幅简图。

弗格夫妇——福伦达箱式相机

杜克洛先生——老式单反相机

斯凯尔顿兄妹——柯达雷汀娜相机

鲁先生和马丁小姐——箱式相机（法国）

科赫夫妇——百代电影摄像机

席姆勒先生——没有相机

克兰顿-哈特利少校及其夫人——没有相机

我在考虑最后这三个人。

两个英国人不太像是那种爱拍照的人。克兰顿-哈特利夫人很有可能反感拍照这种事。至于席姆勒先生，我越发觉得不太值得把精力耗费在这个德国人身上，再去搜集一些不利于他的证据。但毕竟，贝金想要得到这些线索，那就应该给他。科赫呢？嗯，还得再考虑一下。我翻了个身，从遮阳篷的阴凉里出来。沙子滚烫，太阳正毒。我抓过一条毛巾盖在头上。斯凯尔顿兄妹满脸倦容、浑身湿漉漉地回到这里时，我已经睡着了。

年轻的斯凯尔顿戳了戳我的肋部。

"该喝点儿东西了。"他说道。

午饭时，我提醒自己说，但凡良策，其精髓皆为精简。我的这个计划就很精简。

这十二个人当中，有一个人拿了我的相机。而我手中这款一模一样的相机原本就是那个人的。贝金早就说过，若（或者当）那个人发现那些照片不见了，就一定会想办法找回来。此时此刻，想必那人还以为照片在相机里。所以，一旦发现机会，那个人就一定会出手，把相机调换回去。

而我的计划就是，把我手里这架康泰时相机放在一个显眼的地方，所有宾客都有机会看到它，这时，我躲在一个能看到相机却不被人发现的地方，守株待兔。如果什么都没发生，说明对方还没发觉相机被调换。即便如此，也不会造成任何损失。如果有情况发生，那么我就能十拿九稳地确定间谍的身份。

不过，陷阱应该设在哪里，这个问题我想了很久。最后决定把相机放在当初被拿错时的椅座上。这个位置很合理，而且还有一点好处，那就是容易观察。在大厅的另一面，写字间的门开着，屋子里有一面镀了金框的小镜子，用钉子挂在墙上，稍微向前倾斜。我可以在里面搬一把大的扶手椅，背对着门坐在椅子上，眼睛盯着镜子，刚好能看到大厅里的那把椅子。大厅里的人是看不到我的，除非他蹲下来，跟椅座一般高，再透过写字间这道门往镜子里看，才能发现我。可是有谁会这般小心谨慎呢，根本不可能那样做。

于是，我草草地吃了午饭，离开露台，到了写字间，把扶手椅放在合适的位置。之后，我把相机取来。一分钟后，我坐下来，屏住呼吸等着。

宾客们逐渐从露台上散了。

第一个过来的是弗格夫妇。隔了很长一段时间，杜克洛先生走了过去，一边走还一边擦了擦沾在胡子上的面包屑。接下来是鲁先生和马丁小姐，少校和克兰顿-哈特利夫人，再就是美国人。席姆勒是最后一个。我等啊等，如果那人要调换相机，就一定得先去把我那架相机取过来。

十分钟过去了。壁炉台上的时钟鸣报2点钟了。我盯着镜子，努力让自己集中精神，唯恐一眨眼就发生什么状况。后来，我眼睛瞪得发酸。2点05分。突然间，我恍惚觉得有个人影在屋子里一晃而过，又好像有什么东西或者什么人从窗外经过。可是，这个时候太阳正好照到屋子的另一面，所以我也不是十分确定。再者，我要找的是实实在在的人，又不是什么影子。到了2点10分。

我逐渐没了耐心。看来我的想法太过理论化。细细推敲，有太多的"不确定性"。精神太过紧绷的缘故，我的眼睛有些睁不开了，视线逐渐变得迷离起来。

就在这时，从我身后某个地方传来一下微弱的咔嗒声。我瞪大了眼睛往镜子里面瞧。什么也没看到。

紧接着，我一下子从椅子上跳下来，扑向门口。可惜，动作慢了一步。我刚想去拉门，没等摸到，门一下子被关上了。砰的一声。紧接着，只听钥匙在锁孔里迅速地转了一下。

我试着拉了拉门把手，又惊慌失措地看了看周围，还有窗户。我赶紧冲过去，笨手笨脚地摆弄了一两秒钟窗把手，之后赶紧推开窗户。我跌跌撞撞地踩过几片花坛，到了酒店门口。

大厅里空无一人，静悄悄的。相机从椅座上消失了。

我设下的陷阱果然奏效了。可没想到的是，被算计的人是我。唯一能够证明我清白的证据终究还是被我弄丢了。

7
俄式台球

那天下午，我花了好长时间劝慰自己说，现如今，离开储备酒店才是上上策，横跨整个国家到马赛去，再找一艘向东行驶的货运船只，在上面当一名乘务员也好，或者在甲板上做一名水手也行。

我把整件事都规划好了。开科赫的摩托艇到圣加蒂安西边，找个没人的地方。之后把舵锁死，发动引擎，让它自己驶向大海，我则往内陆的奥比格去。我就在那里乘火车去马赛。

这时，千思万绪涌上心头。总听人说起那些逃到海上的年轻人，那些在船上做水手、打工的人。想来，这种工作对人应该不会有什么特殊的要求。不用捻接绳子，不用爬索具。无非就是给锚刷刷漆，给钢甲板除除锈，长官讲话时要说"是的，是的，长官"。那将会是一段艰难的生活，会遇见不好相处的人。船上的点心里会有象鼻虫，除了麦片粥以外什么都吃不得。一切问题都要用拳头解决，平时还要光着上半身到处走。不过，总会有船员有六角手风琴吧，结束了一天的工作之后，就会唱上几首。往后余生，可以写一本这方面的书。

可是，事情会跟我想象的完全一样吗？我越发觉得不会那般顺利。有可能运气欠佳，但是我意识到我这辈子注定不会走"寻常"路线了。

我到后来很有可能发现除锈其实是一种高技术含量的工作。我这个菜鸟水手还以为自己能干得来，到时，他们一定会笑话我这种幼稚的想法。除此之外，再也不会有假期了。即便有，也只是乘坐沿海轮船去土伦。有可能，还要在出海前三个月向警方申请什么奇怪的许可。有可能，他们发现我的视力不够好。还有可能，他们做事会很依赖以往的经验。现实总是不尽如人意。

我抽了一根烟，又重新考虑了一下自己目前的状况。

有一件事是肯定的。千万不能让贝金知道我把这第二架相机弄丢的事。否则，我会立即被抓回去。警长会定我的罪。没有了相机这个证据，我就没有机会在地方预审法官面前证明自己的清白。我真是个傻瓜！当务之急就是我自己解开谜团，必须冒险一试。得弄清楚相机在不在席姆勒那里，一定要拿出些证据来说服贝金。现在，只要做一件事。就是去那个德国人的房间搜一搜。

想到这里，我自己都吓了一跳。假如被人发现，那就在我原有罪名的基础上又添了一条罪名。可是，必须去查一查。再有，这件事一定要办成。此刻就该行动吗？想到这儿，我的心跳比平时快了些。我看了看手表，接近3点钟。首先得弄清楚席姆勒现在在哪儿。这次一定要冷静、小心。想到这几个词，我心里觉得舒服了一些。冷静、小心。这次必须保持清醒的头脑。要穿软底鞋吗？绝对有必要穿。要拿把手枪吗？扯淡！我根本就没有手枪。要不，拿一把……手电筒？笨蛋！天又没黑。这时，我突然想起来，我连他的房间号都不知道。

忽然觉得自己如释重负一般，差点儿笑出声来。我看着镜子里的自己，扭曲着脸，做出极度愤怒的表情。嗯，这样会好一些。这才应该是我此时此刻的情绪状态——愤怒，计划遭受挫败，自然要表现得愤怒、暴躁。不过我心里清楚，我一点儿也不气恼，能有这片刻的喘息时间，我打心眼儿里觉得高兴。真鄙视我自己。没错，事实的确如此，我不知道席姆勒的房间号，可无论我是恼火或是轻松，都不宜在这件事上纠结。此刻的重点在于，身为一个做事有效率的人，早该想办法把房间号弄到手。如果说这是我的一种自我保护方式——遇见困难时反而觉得轻松——那么，感谢老天眷顾。

想到这里，我下到露台上。本以为那里不会有人，没想到真有人在。那人正坐在躺椅的一头，嘴里叼着烟斗在看书，这人正是席姆勒先生。

若早知道他的房间号，此时此刻就可以直接去他房间搜查了。真恨不得立马转身回去。可我还是在原地站住了，心想不得不放弃这次机会了。毕竟，跟他聊聊也没什么损失，看看我要对付的到底是怎样的人。再说，所谓践行良策，其中有一项基本的要求，那就是要弄清楚敌人在想什么。

可是，要摸清席姆勒先生的想法，实际操作起来比单纯地想要难上许多。我搬了一把柳条扶手椅到阴凉下，就在他旁边。接着，我一边坐下来，一边清了清嗓子。

他挪了挪嘴里叼着的烟斗，翻了一页书。干脆没朝我这边看。

以前听说，如果一个人认真地盯着另一个人的后脑勺，用意念让这个人转身，那么这个人真的会立即转过身来。我盯着他，想用意念让他注意到我，这样持续不下十分钟。我甚至都想给他的后脑勺画一幅测量图。可即便这样，他的意识里依旧没有感受到我的存在。于是，我试着看了看书的名字。是一本德语书，尼采的《悲剧的诞生》，那是我在写字间见过的为数不多的德语书之一。于是，我放弃了跟尼采争辉的想法，索性把目光转移到远处的海面上。

太阳火辣辣的，甚至能看到地表上方徐徐升腾的热浪。地平线上像是罩着一团烟雾。石栏杆上的气浪在热力作用下徐徐升腾、回旋。蝉儿们在花园里齐鸣。

我看见一只大蜻蜓绕着一株爬花植物飞了一圈，又飞过了冷杉树树林。真不该占用这美好的午后来考虑间谍的事。我心里清楚，自己应该打电话给贝金，把相机所有者的名单给他。不过，让他再等等吧。或许，待会儿等天气凉快些，我会亲自去一趟邮局。这个时候去，那名警卫又得穿着厚重的黑色套装，即便等在门外了无生气的棕榈树下，也还是会大汗淋漓，一定很想来一杯柠檬汽水。真嫉妒他。要是能像他那样心无琐事，我宁愿在盛夏的午后穿着那身黑色套装，宁愿出汗，宁愿等人，宁愿监视人，宁愿心心念念地渴望一杯柠檬汽水，那样的生活该有多好！可惜，我却只能像个罪犯一样提心吊胆地过日子。还要被人监视。

我在想，玛丽·斯凯尔顿对我的印象是怎样的呢？或许，没什么印象。或者，即便有印象，也无疑会是：彬彬有礼、风度翩翩的青年，在学习可用的语言方面很有一套。我还记得她之前称呼我时用的词，当时她以为我没听到。她称我是"善良的绅士"。虽是句玩笑话，却出自善意。用于描绘在酒店结识的熟人，再合适不过。能让玛丽·斯凯尔顿感兴趣，真是太令人开心了。她对她哥哥十分了解。这很明显。还有，同样明显的是，她觉得她哥哥也十分了解她。从她哥哥对她的态度上就能看出来。可是，她……

席姆勒先生啪的一声把书合上，拿着烟斗在帆布折椅的木扶手上磕了磕。

机不可失，时不再来。我开口了。

"尼采，"我说道，"实在不该由他来陪您度过这个炎热的午后。"

他慢慢转过头，打量着我。

此时看他那瘦削的脸颊，倒是比头天夜里的气色好了些，蓝色的眼眸里也不再有痛苦的神情，而是瞬间闪现出明显的——怀疑。他绷紧嘴角的肌肉。

接着，他把烟斗拿过来，重新填入烟丝。说话时，语气随意而从容。

"或许您是对的。但我并不是想找个什么伴儿来陪我。"

放在往日，听了这种明显的拒绝之词，我早就躲到一旁一声不吭地伤心去了。可此时，我依旧坚持着。

"现如今的人们还看尼采吗？"

这真是个愚蠢的问题。

"为什么不看？"

我又笨嘴拙舌地回答了一句。

"噢，我也不清楚。我还以为他早就过气了。"

他把烟斗从嘴里拿出来，歪过头看着我。

"您知道自己在说什么吗？"

我厌倦了这种无厘头的搭讪。

"说实话，不知道。我只是想跟您聊聊天。"

他盯着我看了一会儿，然后薄薄的嘴唇轻松地笑了起来。那是一种具有感染力的善意微笑。我也跟着笑了。

"几年前，"我说道，"我的一个同学经常不厌其烦地跟我说尼采有多了不起。其实，我个人崇拜的是查拉图斯特拉。"

他用牙叼着烟斗，伸了个懒腰，望着天空。

"您的朋友错了。早期的尼采或许是个了不起的人。"他用食指轻敲了一下放在膝盖上的书，"这是他最早的作品，他是个伟人苗子。把苏格拉底想象成颓废之人。认为道德是一种堕落的征兆！多么完美的观念。可您猜，20年后他是怎样评价这一观念的？"

我默不作声。

"他说，这观念沾上了太多黑格尔的思想。他说得很对。只有单一、绝对、死的东西才具有统一性，而矛盾性才是一切运动与生命的原动力。一件事物，只有当它自身具有矛盾性时，才会是运动的，才会拥有动力与活力。"他耸了耸肩，"年轻的尼采尊重黑格尔，而年老的尼采却鄙视黑格尔。老年的尼采真的是脑筋不清醒了。"

老实说，我没太听懂这番话，便浑身不自在地说道：

"没见过您游泳。"

他一下子扭过头，生气地盯着我。

"您是故意这样没礼貌的吗？"

"不是的。我只是想换个话题。"

"这话题换得还真别扭。"他转过头去，接着又说，"我不游泳。不过，如果您愿意的话，我可以和您打场俄式台球。或者，您可能叫它弹子球？"

他淡淡地说着。语气有些生硬，却又很无奈。

接着，我们进了屋。

俄式台球桌就放在休息大厅的一角。我们默不作声地玩起台球来。不到十分钟，他就把我打得落花流水。一杆制胜球过后，他直起腰来，咧嘴笑了。

"看来您不太喜欢这个，"他说道，"您不是很擅长，对吧？再来一局怎么样？"

我笑了笑。他这番话虽然唐突，甚至有些无礼，可是，我总觉得这人骨子里有股强烈的同情心。瞬间，我也想友好地待他。我几乎忘了，他可是头号嫌疑犯。不过很快，我就记起了这个事实。

我说，我愿意再来一局。他把比分调回到0:0，擦了擦球杆杆尖，接着探过身去开球。阳光从窗口照进来，落在他的脸上，隆起的颧骨显得更为突出，瘦削的脸颊显得更为俊朗，还有那宽大的额头，尤其引人注意。对于画家来说，这颗头颅还真是漂亮。还有那双手，也是美得无可挑剔；骨架虽大，却十分匀称、坚实、灵巧。他的手指轻轻抓住球杆，自如地在左手拇指上抽动。他一边盯着那颗红球，一边开口说话了。

"您在警察局那边遇到了些麻烦事，是不是？"

他的语气很自然，像是随口询问时间一样。紧接着，开球声响起，三颗球随即应声落网。

我努力装得跟他一样淡然。

"好球！是的，是关于护照的，有些误会。"

他慢慢地沿着桌边移动，调换位置瞄球。

"您是南斯拉夫人，对吗？"

这次只进了一个球。

"不，我是匈牙利人。"

"噢，我知道了。因为《特里亚农条约》？"

"没错。"

接下来的球被他打飞了。他叹了口气。

"我就知道会这样。总分——零。该您了。跟我讲讲南斯拉夫吧。"

我俯身在桌子上方。这种游戏可以两个人一起玩。

"我已经十多年没回去过了。您是德国人，对吗？"

我用一个小码球把红球打入网袋。

"好球！水平有提升。"不过，他没有回答我的问题。于是，我又问了一遍。

"近来，度假的时候不常见到德国人。"

又进了次红球。

"不错！打得很好。您刚刚说什么？"

"我说，近来，度假的时候不常见到德国人。"

"是吗？我倒没注意这些。我是从巴塞尔来的。"

明显的谎话。我一激动，母球自己进了网，没碰到别的球。

"运气不怎么样，看我的！白垩粉呢？"

我默默地递给他。他仔细地用白垩粉擦了擦球杆，又开始打起来。结果，他的分数一路飙升。

"现在比分是多少？"终于，他小声嘀咕了一句，"60∶4，对吗？"

"是的。"

他再次弯下腰来。

"您很了解德国吗，瓦达西先生？"

"从来没去过。"

"应该去看看。那里的人都很好。"这时，红球在一个高码球旁边打转，没有碰到。"啊，力度不太够。60∶4。"他直起身来，"您的德语说得不错，瓦达西先生。像是在那儿生活了很多年。"

"在布达佩斯大学读书的时候，我几乎都说德语。还有，我是教外语的。"

"是这样？该你了。"

我打了一杆，不过没怎么打好，因为我没办法全神贯注地打球。三次打飞了球。一次根本就没碰到球。脑子里翻来覆去地想着一些事情。这个人到底想从我这儿知道什么？他那些问题绝非随便问问。到底是什么意思？难道他怀疑是我故意拍了那些照片？我心中还有个想法，一直跟这些疑问搅在一起，那就是这个人不可能是间谍。在他身上，总有那么一种特质，让我觉得先前的想法有些荒谬。这个人，身上散发着尊贵之气。再者，间谍会谈论黑格尔吗？会读尼采吗？好吧，对于这类问题，他的答案会是："为什么不会？"可话说回来，这样的回答又能代表什么？倒不如这样问："间谍会是好丈夫吗？"为什么不是？为什么不呢？

"该您了，我的朋友。"

"抱歉。我刚才在想别的事情。"

"噢!"他浅浅一笑,"看来,这种游戏不太能让您尽兴。要停下来吗?"

"不,不用。我之前忘记了一件事,刚刚想起来。"

"但愿不是什么重要的事。"

"不,不是什么重要的事。"

可事实是,它非常重要。我要给贝金打电话,求他可怜可怜我,再跟他解释丢相机的事,申请搜查席姆勒的房间,就像之前搜查我的房间那样。理由可以是:上报虚假姓名。只要我能找到一条对他不利的证据,只要能把他和相机联系起来,只要能证明我没犯低级错误,我就知足了。假如我甘愿冒险一试;假如我直截了当地问他有没有相机,会怎样?总之,现在问这些问题不会造成任何损失。摔了写字间的门又拿走第二架相机的那个人不会怀疑我跟这件事有关。

紧接着,我进了两球。

"真没想到,"我说道,"没想到会进。"

"不,我倒不这么认为。"

"我呢,"我一边继续说,一边绕着球桌准备打下一个,"我这个人只有一个爱好。"

没有得分,他过来继续。

"真的吗?"

"是的。就是摄影。"

他眯起眼睛顺着球杆瞄准球。

"那一定很适合您。"

这时,我问了他一个关键问题,密切关注着他的反应。

"您有相机吗?"

他慢慢站起身来看了我一眼。

"瓦达西先生，我打球的时候麻烦您先别说话，好吗？这一杆球可不容易。您看，先要撞到桌边的弹性衬里，然后擦过白球，接着再次撞到衬里，将最大的力传给红球。白球就可以得5分。"

"请您原谅。"

"该抱歉的人是我。我对这种荒唐的游戏着迷。这绝对是一种反社会的东西。就像毒品一样，它不允许你去思考别的事情。稍不留神，就会失手。对了，您问我有没有相机，我没有相机。说实话，上一次拿相机是什么时候我已经不记得了。本来回答您这个问题完全不需要思考。可是您一说话我就分了神，思路被打断了。看来这一球是进不了了。"

他一脸严肃地说着。好像这一杆的成败能决定全世界的命运一样。可是，透过他那双会说话的眼睛，我察觉到了一丝嘲笑的意味。我想，我能猜到这眼神背后的意思。

"我算是知道了，"我说道，"我今后就不该碰这东西。"

不过，他再次俯身在桌子上。稍微停顿了一下，紧接着，轻轻的咔嗒一声过后，两颗球纷纷落到了网里。

"打得漂亮！"有人称赞道。

我转过身去，原来是科赫。

"打得漂亮，"席姆勒小声说了一句，"又不是打仗。瓦达西先生一直很耐心地陪我打球。他其实对这种游戏没什么兴趣。"

直觉告诉我，这两人意味深长地相互递了个眼神。席姆勒为什么莫名其妙地用"打仗"这个词，究竟是什么意思？见此情景，我赶紧辩解说，我很喜欢这种游戏。要不，我们明天再来一局。

席姆勒虽表示了同意，却多少有些敷衍的意思。

"海因伯格先生，"科赫兴致勃勃地说道，"可算得上是俄式台球的玩家。"

不过这个时候，气氛莫名其妙地发生了变化。这两位明显是在迫不及待地等我离开。于是，我尽可能找了些先行一步的托词。

"我早就看出海因伯格先生是这方面的玩家了。不过，不知能否请求您的谅解？我得往村子里去一趟。"

"当然，您请便。"

他们站起身，目送我离开。很明显，这两人是在等我走远，待我完全听不见他们之间的谈话声，才会继续。

经过大厅时，刚好碰见克兰顿–哈特利夫妇上楼。我轻声打了个招呼，夫妇二人却都没有回应。我发现，这两位神情极为凝重，心里猜想，一定有事。于是，我停住脚步，回头瞧了这二位一眼。等他们到了楼梯顶端转弯要过去的时候，我发现她用手帕捂着脸。克兰顿–哈特利夫人哭了？不可能。那种性格的英国女人怎么会哭呢。可能是什么东西进到了眼睛里。于是，我继续赶路。

在门口等我的警卫早就换了班。现在是一个矮个子、壮实的小伙子，戴着一顶平顶草帽，一路跟着我到了邮局。

我直接把电话打到贝金那里。

"怎么，瓦达西，有关于相机的具体消息了？"

"是的。可是席姆勒的问题……"

"我没有闲工夫，说相机的事吧。"

于是，我开始慢慢给他念那份名单，好让他有时间写下来。只听他不耐烦地哼了一声。

"请快一点儿。我们没有那么多时间，电话费是很贵的。"

听了这话，我有些生气，索性一口气把名单念完。毕竟付电话费的人是我，又不是他。这人太过分了。念完名单之后，我得意扬扬地以为他会让我重复一遍，然而并没有。

"很好！这三个人没有相机？"

"我直接问了席姆勒，也就是海因伯格。他说，他没有相机。我还没找到机会去跟那两个英国人核实。不过，他们倒是有一架双筒望远镜。"

"一架什么？"

"双筒望远镜。"

"这不重要。你只要打探相机的消息就行。还有其他要报告的吗？"

我犹豫了一下。现在，是不是该把那件事……

"喂，瓦达西。在听电话吗？"

"在的。"

"别浪费时间。你还有其他事要报告吗？"

"没有了。"

"很好。明天一早还跟往常一样把电话打到警长那里。"说完，他挂了电话。

我走回储备酒店，心如死灰。我真是个傻瓜，是个懦夫，是个胆小如鼠的傻瓜。

或许是天气太热的缘故，衬衫黏糊糊地贴在身上。于是，我打算回房间去把它换下来。

我走到房间门口，钥匙就插在锁孔里。只不过，门似乎没有关严。我一碰门把手，就听弹簧锁咔嗒一声，门自动开了。我进到房间里，把行李箱从床底下拉出来。

我本来并没有察觉到什么异常，可是有一处引起了我的注意。那就是，我习惯只把行李箱的一边锁上。而此刻，两边都是锁着的。

我打开锁，看了看箱子里面。

若在平时，看见箱子里的衬衫稍微有些皱巴巴的，我肯定不会觉得奇怪。可这次，我猛地站起身，去到衣柜那边。所有东西都在原位，只是，顶层抽屉的一角放着的一小沓手帕让我觉得有些不对劲。只有一条手帕是彩边的，被我放在了最下面。现在，它居然跑到了最上面。我又环视了一下整间屋子。床上被单的一角被掖到了床垫下面。打扫房间的服务员不会弄成这样。

于是，我心中不再有任何疑虑。这间屋子和我那些东西肯定都被人翻过了。

8

喧　噪

　　自己的私有物品遭人翻查，总有一种不快之感。

　　了解这件事之后，我的第一反应就是气愤。太可恶了，居然有陌生人打开过我的行李箱，随意翻找了一通，窥探我的隐私。要不是那个上了锁的行李箱，我恐怕永远都不会发觉。嗯，是因为这个！原来，我是因为这个生气。被人窥探了隐私或者胡乱翻找一通并不是我恼火的根源，真正惹恼我的是这种偷偷摸摸的行为，是他那种自作聪明的想法，以为只要小心翼翼地将行李箱的两边都锁起来，我就发现不了。这个笨蛋！他本应该注意到，我其实只锁了一边。他也应该注意到，放在抽屉最上面的是一条普通的白色手帕。笨蛋，乱翻人家东西的傻子！

　　我到衣柜抽屉那边，按照原样把手帕放好。之后，我又重新把行李箱锁好——锁一边。接着，我将床上的床单捋平。稍作冷静之后，我才坐下来。来我房间乱翻一通，却又什么都没带走，这样的人只有一个——就是那个间谍。拿回自己的相机后，发现里面的胶卷不见了，他自然会来我房间找。自然？是啊，因为他从写字间窗户那里发现是我在暗中观察，自然会有所猜想。我既然给他设了陷阱，就说明我已经把胶卷冲洗了出来，也知道了那些照片的性质。紧接着，我突然想起来，行李箱底部放着两卷未冲洗的胶卷，是我在尼斯拍的。刚才忘了确认它们是否还在。于是，我再次打开行李箱，仔细地翻找了一遍。胶卷果然不见了。看得出来，这个间谍做事还真是滴水不漏。从今以后，我定会将此事铭记于心。

当时若能及时赶回来抓他个现行就好了。我心花怒放地用了半分钟时间想象了一下这样的场景。若真如此，我倒觉得根本没必要让贝金来处置他。我脑海中的情景是这样的，直接把这个哭哭啼啼的家伙拖出去，交给守在门口的警卫们处置。

可令人出乎意料的是，我假想出来的间谍形象既不是席姆勒，也不是科赫。他根本就不是储备酒店里的人，而是一个长相邪恶、睚眦必报的卑鄙人物，裤子口袋里放着一把手枪，袖子里藏着刀，是一个穷凶极恶、令人唾弃的家伙。为人没有任何可取之处，此等阴险狡诈之徒，就连雇用他的人都对他鄙夷不屑。

想到这里，我难过极了，还有什么能比这更能说明我这个人的一无是处呢？想来，这应该是最具说服力的证明了！此时此刻，我心中所想的居然不是从这12个嫌疑人中将那个擅闯我房间的人揪出来，而是在这里兴致勃勃地假想出第13个嫌疑人。我活该受挫。

"现在，"我大声对自己说，"顶着你的猪脑袋听好。这个间谍，这个或男或女的家伙拍了那些照片，拿了你珍贵的相机，人家早就从写字间的窗户那边发现了你，而你就像一个无助的傻瓜，被人家反锁在屋子里。不仅如此，他还拿走了放在椅座上的相机。又是这个人，他潜入你的房间，在你的衣服中间翻找他那些照片，他是现实生活中的人，是活生生的，就混迹在外面那些人当中。他不会生得一副间谍的面孔，你个傻瓜。他的长相既不阴险，裤子口袋里也没有手枪。他就是现实中的一个普通人。或许，像老杜克洛那样长着白胡子，或者有一双像鲁那样突出的眼球。或许，他会像席姆勒那样喜欢读黑格尔，或者像科赫那样有一个敏感多疑的妻子。她或许会像克兰顿-哈特利夫人那样严肃冷漠，也或许会像玛丽·斯凯尔顿那样年轻迷人。她或许会像弗格夫人那样爱笑，也或许会像马丁小姐那样风情万种。他或许会像弗格那样胖，也或许像克兰顿-哈特利少校那样瘦，或者像沃伦·斯凯尔顿那样有着褐色的皮肤。他有可能是位爱国人士，也有可能是个叛国贼；或许是个骗子，也有可能是个真诚的人，抑或两类人的综合。他或许是个老年人，也可能是个年轻人。她有可能长得黑，也有可能长得白；有可能聪明，也有可能愚蠢；有可能富有，也有可能穷困。可无论是谁，你个笨蛋，坐在这里耗时间对你没有任何益处。"

于是，我站起身来，看了看窗外。

斯凯尔顿兄妹早就从沙滩那边上来，在下面一片露台上找了个位子坐下。我隐约能听见他们说话的声音。沃伦笑了一下，随后假装摆出一副拿破仑般的架势。妹妹在一旁使劲摇头。我有些看不明白，这对兄妹在谈论什么。如果他们一下午都在沙滩那边，那么他们或许能给其中一些人提供不在场证明。房间被人闯入的时间段有两个：我和席姆勒在一起的那段时间，或者我去村子里给贝金打电话的那段时间。后者的可能性大些。毫无疑问，有人看见我离开了酒店。这座酒店里，有一半房间的位置能看到通往门口的那条路，从写字间也能看到。或许，就在我计划搜查席姆勒房间的同时，席姆勒也在计划着搜查我的房间。真够讽刺。只不过，人家席姆勒早就知道了我的房间号。也就是说，如果锁我行李箱的人是席姆勒，那么他锁了两边，而不是一边。或许，他当时脑子里一直在想《悲剧的诞生》那本书里的东西。擅闯我房间的人也有可能是科赫，或者弗格先生，或者杜克洛先生，或者……

可今天已经是星期五了。只剩一天时间，我就得离开了。此刻，我居然还在希望，还在考虑，还在这里跟自己念叨这些名字——科赫、席姆勒、弗格先生、杜克洛先生——居然还在这里眼睁睁地看着时间一点点过去，听天由命，坐以待毙。必须行动起来。必须做点儿什么。必须抓紧时间。

离开房间时，我极其小心地将门锁好，把钥匙放在口袋里。人一旦心里有所担忧，那他的幽默感就会跑偏。

我慢步走到下面那片露台上。斯凯尔顿兄妹依旧在谈论着什么，当我走近时，他们抬头看到了我。于是，兄妹俩异常热情地招呼我过去。

"嘿，我们正找您呢。"他迎上前来，拉住我的胳膊，用探询的眼神盯着我，"听说了吗？"

"听说什么？"

他执意将我拉到桌旁。

"看样子，他还没听说。"他得意地说道。

"没听说？"女孩又问了一句。说着，她站起身来，拉住我的另一只胳膊。"坐下，瓦达西先生，是这样的，如果不跟人说说这件事，我们怕是会憋死。"她打了个响指，"爆炸——嘭！——就像这样。"

"本周特大要闻！"哥哥接茬说道，"您居然没听说。"

"太有趣了，我都不敢相信那是真的。"

"你先说还是我先说？"

"你说。我先喝点儿果汁。"

"那就承让了，玛丽·斯凯尔顿小姐！"

"好了，赶紧说吧。"

当时，斯凯尔顿一定是见我满脸的疑惑，才一把将我按在椅子上，随手扔到我面前一盒烟。

"嘿，来一根，稳定一下情绪。"

"可是……？"

"要火柴吗？"

我点了一根烟。

"是这样的，瓦达西先生，"女孩心急地插了句话，"我们不想让您觉得我们脑筋不正常，可今天下午，我们的确目睹了一场……"

"听完会让您笑得直接从椅子上跌下来，"哥哥补充说，"还有，我们太想跟别人分享这件趣闻了。真谢谢您，瓦达西先生，是您拯救了我们。"

我不好意思地笑了笑。听了这话，真觉得有点儿不好意思。

"我们俩，"女孩一本正经地说，"要是没有您的配合，我们俩肯定有一个是活不下去的。"

"那么，我们言归正传！"哥哥说道，"瓦达西先生，您知道今早开来的那艘帆船吧？"

"知道。"

"是一个意大利人的。"

"是吗？"

"是的。嗯，今天下午，我们正和其他几个人在沙滩上待着。有那两个瑞士人，那对法国情侣，还有那个白胡子的老伙计。不一会儿，英国少校和他的妻子也来了。"

"你的叙述风格真差劲。"女孩评论道。

"等一等！我这是想给瓦达西先生营造些气氛。事情是这样的。这两位比别人来得稍微晚一些。要知道，当时天气很热。我们大家都躺在躺椅上半睡半醒地消化着午餐吃的奶油鸡。大家都知道是那两个英国人来了，因为我们听他抱怨说椅子不安全之类。"

"是这样的，"她迫不及待地插话说，"他们就坐在稍微靠右的地方，离我们很近，我们什么都看到了。嗯，这时……"

"别说话，"哥哥说道，"气氛都被你搞坏了。你等一下再说。我刚刚说到，瓦达西先生，就在我们大家思考着天气会不会更热、午饭是不是吃得太多了的时候，那位瑞士夫人突然跟瑞士先生说了句什么。嗯，这方面您肯定有所体会。一个人虽然不懂外语，却往往能听懂其中的语气。于是，我睁开眼睛，看见那两个瑞士人正在朝海湾那边望去。接着，我发现从那艘帆船上卸下一艘小船来，一名水手把小船划到舷梯那边。这时，从舷梯上下来一个人，那人戴着一顶帆船帽，穿着白色上衣。这人虽然体形稍微魁梧些，却身手矫健地跳到了小船上，紧接着，水手就划船载着他朝沙滩这边驶了过来。于是，大家都打起精神关注起这艘小船来，可能见到这一场景就暂时忘了消化奶油鸡的事，接着大家就开始谈论起来。"他一边说，一边神秘地摇了摇手指，"可他们完全不知道接下来会发生什么。"

"不过，在我们看来，"妹妹插话说，"序幕已经拉开了，因为那两个英国人突然说起话来。奇怪的是，他们没有用英语交谈。后来，那位瑞士绅士告诉我们，他们说的是意大利语，可惜我们听不懂。他们居然会说外语，真是件怪事！更加奇怪的是，绝大多数时候都是克兰顿-哈特利夫人在说话。而当时，她不停地指着那艘小船。少校朝那边看了一眼，然后也用意大利语跟她说起话来。他会讲意大利语，您想象不到吧？总之，他看上去并不同意她的说法，因为他一直在摇头，还说了些什么，听上去像是一个女孩的名字，凯或者类似的。她好像并不满意他的回答，又朝那边指了指。这时，那艘小艇离沙滩大约只有12码的样子，戴帆船帽的人站起身来，准备用手里的钩杆钩住嵌在石头上的铁环。这时，只听她突然大叫了一声，一路跑到水边，一边喊，一边朝那人挥手。"

"就在这时，手拿钩杆的人也看到了她，兴奋得差点儿从船上翻下来，"沃伦·斯凯尔顿说道，"接着，他就开始喊，'玛丽亚！'我对意大利语一窍不通，所以我听不懂他们在说什么，虽然隔着一段距离，但他们一直在对话，直到后来，他把小船安顿在可以停靠的岩石旁边，这才跳上了岸。"

"紧接着，"女孩说道，"他张开双臂上前抱住她，亲吻了两三下。很明显，他们很熟悉。说实话，我可不想被那种男人亲吻。他有些胖，把帽子摘掉一看，头发剪得极短，整个脑袋看上去就像一个脏兮兮的灰色蛋壳。不仅如此，他身上还有赘肉，身上有赘肉的男人，我可一点儿都不喜欢。不过，真正令我震惊的人是她。我们从没听她说过一句话，可当时她就像一个放了学的孩子，一直咯咯笑，我们都担心她的脸会裂开。看样子，她根本没想到会在这里遇到那位赘肉先生，真是个不错的惊喜。接着，他指了指帆船，又拍了拍自己的胸脯，好像是在说，'看我多了不起！'然后，她指了指酒店，告诉他自己住在这里。紧接着，他们就又开始拥抱、亲吻起来。见此情景，我们在沙滩上的这些人都很开心。"

"可是，"斯凯尔顿强调说，"只有少校不高兴。他看上去一点儿都不开心。实际上，可以说，他是一脸的厌恶。看到这第二波拥抱开始了，他就慢慢地从椅子上站起来，朝他们那边走过去。他走啊，走啊，可从他走路的姿势就能发觉到，肯定有事情要发生。那两个瑞士人刚刚还在跟法国老先生闲聊，这时，他们突然停下了。要不是有海水的声音，恐怕连根针掉到沙子上的声音都能听到。可接下来，什么都没发生。只见那位赘肉先生抬头看见少校过来，就朝他笑了笑。看得出来，他们是旧相识。两人握了握手，赘肉先生一直都是笑嘻嘻的，不过少校夫人的脸突然又像之前一样紧绷起来，好像有人把她热情的小火苗掐灭了一样。再后来，他们就开始静静地聊天。嗯，我猜，这个时候其他那些在场的人，绝大多数都没有了再看下去的兴致，我却一直都在观察他们。要知道，身为学生的我，专业就是研究人性。我总说，要想研究人性，最应该研究的对象就是人。"

"我的老天，"妹妹打断道，"说正题。瓦达西先生，他想说的是，虽然他们三个人看上去无话不说，但有一件事是他们想聊又没聊的。"

"也就是说，"年轻的斯凯尔顿沾沾自喜地继续说道，"就看谁先把话挑明。不过，需要等待时机。我承认，我逐渐没了兴致，可就在这时，他们（至少是那两个男人）开始抬高了嗓音。您是知道的，意大利语从远处听——就像是一架堵塞了的喷气式飞机。可是，突然有人踩了一脚油门。赘肉先生在少校面前比比画画、叽叽喳喳地说着。少校脸色煞白。接着，赘肉先生停了下来，稍稍转过身去，像是说完了。可接下来，很明显，他又想起了一些极为难听的话，只见他转过身来，说了些什么，然后又转回头去一阵大笑。

　　"下一秒，只见少校攥起拳头，一把拉住他的胳膊。紧接着，只听一声尖叫——我猜应该是那个法国姑娘——再看少校，挥起一拳，打到赘肉先生的太阳穴上。您真该目睹一下当时的场景，精彩极了。赘肉先生也不笑了，嘴巴张着，哇啦哇啦地大叫，就像浴缸里的水一样，哗哗地往外流。紧接着，他踉踉跄跄地后退了一步，扑通一声，坐到地上，沙滩上留下一道印迹，就像被一阵即将退去的波浪冲刷过一样。克兰顿-哈特利夫人大叫一声，转过身来用意大利语朝少校大吼。这个时候，他猛地咳嗽起来，似乎无法停止。当然了，沙滩上的所有人，包括我们俩，赶紧冲了上去。一直坐在船里的水手急忙蹚了水过来帮那位年轻的法国人去扶赘肉先生，瑞士人和我拉住少校。瑞士夫人和法国姑娘，还有玛丽围在克兰顿-哈特利夫人身旁。白胡子老先生一边走来走去，嘴里一边说，太遗憾了。我们倒也没帮什么忙，因为，少校在那里不停地咳，嘴里上气不接下气地骂着'小人！'。克兰顿-哈特利夫人则在一旁哭起来，用蹩脚的英语跟大家表示抱歉，说她的丈夫就是只疯狂的恶狼。可在我看来，他不太像她说的那样。等赘肉先生缓过气来，一边挥舞拳头，一边用意大利语喊叫了一番，接着就拖着湿漉漉的裤子往小船那边去了。后来，少校终于停止了咳嗽，夫妻俩都一副谁也不服谁的样子，神情高傲地上了楼。现在想一想，没看到这出好戏，您是不是觉得有些遗憾？"

"你早该把事情讲完。"女孩悻悻地说道。

不过，我可没有心思听他们讲这些。我一脸忧虑地探过身子。

"这件事具体发生在什么时候？"

兄妹俩一脸沮丧地看着我。看样子，他们肯定是在怪我不发表看法。

"嗯，我也不知道，"斯凯尔顿不耐烦地说道，"大概3点半吧，我猜。怎么了？"

"有没有整个下午都待在沙滩的？"

他又不耐烦地耸了耸肩。

"我也说不好。来来回回有很多人。大家的兴奋劲儿稍稍过去一些之后，有一两个人上去换了泳装。"

"我猜，菲洛·万斯[1]已经有了线索，"女孩说道，"拜托，瓦达西先生，跟我们说说，您是怎么想的。"

"嗯，没什么，"我轻声说道，"我正要下楼往村子里去时，看见克兰顿-哈特利先生和夫人了。她用手帕捂着眼睛，肯定一直在哭。"

"好吧，好吧，好吧！我还以为您已经知道了这件事的原委。感谢老天，原来您不知道，不过我倒是想到了一个绝妙的解释。"

"我们想到了一个绝妙的解释。"哥哥附和道。

"好吧——是'我们'想到的。是这样的，瓦达西先生，我们觉得，很多年以前，克兰顿-哈特利夫人原本是一个家住意大利南部村镇的淳朴姑娘——村子里都是那种巴洛克式建筑，涂着白色涂料，连主干排水管道都没有——跟父母住在一起。本来她是和这位赘肉老先生

1　菲洛·万斯（Philo Vance），美国侦探小说家范·达因笔下的名侦探。

订了婚，那个时候他应该是年轻帅气的小伙子，父母也同样是农民。后来，村子里来了位厚脸皮、喜欢捻胡子的坏脾气少校。若您听过类似的故事，那我就不说了。接下来发生了什么呢？那位少校凭借城里那些花哨的伎俩以及那身考究的穿戴把这位淳朴的乡村姑娘迷得神魂颠倒。长话短说，最后他把她带去了大城市，娶了她。"

"嘿！"斯凯尔顿说道，"原来说好的情节里可没有娶她这段。"

"但是，他的确娶了她。或许，她根本就没那么淳朴。"

"好吧。就按照你说的吧。"

"岁月流逝。"她骄傲地朝我们笑了笑，"接着，我喜欢的情节来了。岁月流逝，年轻的赘肉先生在痛苦与失望中挣扎——所以他才会看上去如此沧桑——于是，他奋发图强，努力工作，终于发达起来。一路从底层往上爬呀，爬呀，爬呀，如今已经成了意大利一位响当当的人物。"

"在我看来，"哥哥搭腔说，"这件事的结尾不该是这样。应该是赘肉先生给少校狠狠地揍一顿，让少校拖着湿漉漉的裤子。"

女孩脸上一副若有所思的表情。

"或许，"她看着我说，"我猜您一定觉得我们在这件事上有点儿小家子气，瓦达西先生。没错，我们承认。可是，要知道，这整件事太让人不痛快了，如果不拿来玩笑一番，我们会觉得很压抑。"

一时间，我竟不知该说些什么。

"我发现，"我小声嘀咕道，"那艘帆船开走了。"

"是啊，一小时前就开走了。"斯凯尔顿有些沮丧地说道。

这时，弗格夫妇出现在台阶顶端的缓步台上。两人的神情有些郁闷。他们走到我们的座位旁停住了。

"年轻人是在给你讲今天下午发生的事吧？"他用德语跟我说。

"是的，我听说了一些。"

"说来，这件事很不凑巧，"他严肃地说道，"我太太给克兰顿-哈特利夫人用了些嗅盐，不过我觉得没什么大用处。可怜的家伙。听他太太说，他在战时受了伤，脑子也受到了影响。他似乎无法控制自己的行为。貌似，从帆船上下来的那个人原本是想靠岸买一些科赫酒窖里的酒，再要一些冰。克兰顿-哈特利夫人认出了他这位老朋友。事情就是这样。结果，被那个可怜的少校误会了。"

接着，他们就继续上楼梯，往酒店那边去了。

"他们说什么？"斯凯尔顿一脸好奇地说道。

"他说，据克兰顿-哈特利夫人所说，少校在打仗时受了重伤，脑子不怎么好。"

他们沉默了片刻。紧接着，只见女孩若有所思地皱起眉头。

"知道吗？"她跟我们俩（指我和她哥哥两人，并没有针对某一个）说道，"我不认为这是事情的真相。"

她哥哥不耐烦地哼了一声。

"算了，不管怎么样，我们别再想它了。您要喝点儿什么，瓦达西先生？杜本内酒怎么样？那么，就来三杯吧。我们投硬币来决定由谁过去点。"

结果我输了。

我前去点单，发现杜克洛先生正在和科赫激烈地讨论。只见杜克洛先生正在给科赫演示一记猛烈的上勾拳。看样子，他正在绘声绘色地讲述着事情的经过。

9

遭遇偷袭

克兰顿-哈特利夫妇没有下来用晚餐。

我不由自主地对这对夫妇产生了兴趣。也就是说，克兰顿-哈特利夫人是意大利人！若如此，很多事情就能说得通了。难怪之前那晚跟我聊天时，他提到"开胃酒"这个词。难怪他太太一直不说话。原来是英文不好，怕人笑话。难怪他会说"我亲爱的太太"是个"有宗教信仰"的人。难怪她的长相不太像英国人。还有，克兰顿-哈特利身患炮弹休克症，无法控制自己的行为。我记得，玛丽·斯凯尔顿对此表示怀疑。好吧，如果他们对事发现场的描述是客观、准确的，那么我也对此表示怀疑。听上去不像是单纯的神经症发作。不过，这与我无关。我还有更重要的事要思考。我看，斯凯尔顿兄妹的心思都在克兰顿-哈特利夫妇这摊子事情上，给我提供的线索并无用处。只说"来来回回有很多人"。如此看来，那人是在我去村子的时候闯进房间的。真让人绝望。

晚饭快要结束时，科赫来露台这边通知大家说，花园那边的树丛中间摆了一张乒乓球桌，邀请各位宾客前去娱乐。待我吃完晚饭，隐约听见那边有声音传来，看来已经有人应邀前去了。于是，我闻声寻去。

电灯固定在绿色台球桌面上方的树枝中间，强烈的光线打在双方选手的脸上。上场的是斯凯尔顿和法国人鲁。马丁小姐和玛丽·斯凯尔顿坐在假山石上观战。

鲁采用半蹲式打法，一副全神贯注的表情，他那双凸起的眼睛紧紧盯着球，就好像在盯一颗即将爆炸的炸弹一样。打球时，他的步法幅度很大。相反，斯凯尔顿就很轻松、自然，一副泰然自若、心如止水的样子。不过我发现，总是斯凯尔顿得分。马丁小姐丝毫不掩饰自己急愤的情绪，每次斯凯尔顿一得分，她就绝望地大叫一通。若换作鲁得分，她就一阵喝彩。每当这时，玛丽·斯凯尔顿就会盯着她看，觉得她既有趣又好笑。

游戏结束了。马丁小姐一边恶狠狠地瞪了斯凯尔顿一眼，一边用手帕给心爱的人擦掉额头上的汗。我还听见她安慰他说，虽然失败了，可她对他的倾慕之情不会减少分毫。

"来一局怎么样？"斯凯尔顿问我。

可是，还没等我回答，鲁一下子蹿到球桌的另一边，挥舞着球拍，脸上挂着灿烂的笑容，扬言要一雪前耻。

"他说什么？"斯凯尔顿小声问道。

"他说他要一雪前耻。"

"噢，好吧。"他朝我使了个眼色说道，"最好还是让他赢一局。"

两人又开始了新的一局。我在玛丽·斯凯尔顿旁边坐下来。

"这是怎么回事？"她说道，"我完全听不懂那个法国人在说什么，他好像有很浓重的口音。"

"他可能是个外地人。就连巴黎当地人都有可能听不懂外地人讲的法语。"

"噢，是这样，那我心里就舒服多了。要知道，我真担心他玩太长时间眼珠子会掉出来。"

我也忘了自己当时是怎么回应的，因为那个时候，我正出于个人的喜好，努力地辨别鲁的口音。我曾经在哪里听到过类似的口音，而且就在最近这段时间，熟悉得犹如自己的名字。这时，马丁小姐高兴地尖叫了一声，就此将我的思绪带回到游戏现场。

"只要沃伦愿意，他就可以输得很巧妙，"女孩说道，"有时我们俩玩游戏，他会故意让我赢，而且还能让我觉得是我自己玩得好。"

的确，他以微弱的劣势输了这局，输得很巧妙。只不过，鲁和杜克洛先生（游戏半场时分前来，坚持要为两人记分）为此展开了一场激烈的争论，他不得不在中间调节。马丁小姐这下子可得意了，在鲁的耳垂上亲了一下。

"要知道，"斯凯尔顿小声说，"那个长着白胡子的某某人可不是个好东西。打俄式台球时，我就见过他作弊，没想到他居然还想篡改别人的乒乓球比赛分数。当时，我自己是记了分数的。我落后了5分，不是2分。再像这样打下去，他一定会让我赢了这场比赛。或许，他是得了某种反盗窃癖的毛病。"

"对了，"接下来要评论的话题有些开玩笑的意思，"英国少校和他太太今晚去哪儿了？怎么没来打乒乓球？少校肯定是个高手。"

"愚蠢的老笨蛋！"玛丽·斯凯尔顿说道。

杜克洛先生朝她淡淡地笑了一下。

"我的老天，闭嘴吧，"哥哥说道，"人家或许能听懂你说的话。"

马丁小姐隐约听出她在说英语，扭头就用英语跟鲁说了一句"好吧"和"你好"。接着，她哈哈大笑起来，鲁在她后颈吻了一下，以示回应。很明显，两人都不明白这是什么意思。杜克洛先生强拉着我过去，滔滔不绝地跟我讲起下午发生的事来。

"谁都想不到，"他说，"那个冷漠的军官内心居然有如此强烈的感情，对他那位意大利太太爱得那么深。不过，英国人就是这样。

表面上冷漠，一板一眼。跟英国人相处，总觉得他们死板。可有谁会知道，在他们内心深处，藏着火一般的热情！"他皱了皱眉。"我虽然见多识广，却怎么都捉摸不透英国人和美国人。他们就像谜一样。"他一边说，一边捋了捋胡子，"那一拳打得真漂亮，还有那个意大利人发出的奇怪叫声，听着真让人畅快。一拳打在下巴上。那个意大利人像块石头一样摔在地上。"

"我听说是打在肚子上的。"

他用较真的眼神看着我："还有下巴，先生。还有下巴。漂亮的两拳！"

这时，在一旁听着的鲁插话进来。

"根本就不是用拳头，"他语气坚定地说道，"那位英国少校用的是柔道术。当时我看得很仔细，而且我对这招很了解。"

杜克洛先生把夹鼻眼镜放到鼻子上，两眼瞪得老大。

"是打在下巴上的，先生。"他同样用坚定的语气说道。

鲁举起双手，两只眼睛气得鼓起来，怒视着杜克洛。

"你肯定没看清楚。"他语气粗鲁地说道。接着，他转过身问马丁小姐，"你看见了，宝贝，是不是？你的视力绝对好。不像这位老绅士那样戴眼镜。肯定是柔道术，对不对？"

"是的，亲爱的。"说着，她上前亲了他一下。

"嗯，你看吧！"鲁嘲笑着说道。

"一拳打在下巴上，绝对是这样。"杜克洛气得连夹鼻眼镜都跟着不停地颤抖。

"呸！"鲁粗鲁地说道，"看着！"

他突然朝我这边转过身来，抓住我的左手腕，趁势一拉。我本能地往后退了一下。下一秒钟，我就觉得自己整个人都倒了下去。鲁赶紧抓住我的另一只胳膊，将我扶住。他的抓力大得惊人。我瞬间就感觉到，他那又瘦又高的身体真的很结实。接着，我站了起来。

"看见了吧！"他欢呼着说道，"是柔道术。这招很简单。我刚刚拿这位先生示范了一下，英国少校就是这样对付那个从帆船上下来的男人的。"

杜克洛先生站起身来，礼貌地鞠了一躬。

"很生动的示范，先生。不过没必要这样。我看得很清楚，就是一拳打在了下巴上。"

接着，他又鞠了一躬，然后昂首阔步地朝酒店那边去了。鲁在他身后，一边打响指，一边哈哈大笑地嘲讽他。

"真是个老白痴，那个家伙，"他轻蔑地说道，"他说谎时我们假装不理会，还以为我们什么都不知道。"

我释然一笑。马丁小姐见他把问题处理得这么妥帖，一直赞不绝口。斯凯尔顿两兄妹又开了一局乒乓球。我漫步到下面一片露台上。

在漆黑如墨的树丛那边，我看见两个人影静静地靠在围墙上。原来是少校和他太太。听到我过去的脚步声，他转了一下头。我听见他跟她小声嘀咕了一句，接着两人就走开了。我在原地停留了片刻，听他们的脚步声渐渐远去，正准备去他们刚刚站着的地方，恰巧在这时，我发现树丛附近黑暗处一闪一闪的有烟斗的光亮。

"晚上好啊，海因伯格先生。"

"晚上好。"

"再来一局俄式台球怎么样？"

他拿着烟斗往椅子边上磕了磕，瞬间火星四射。

"不了，谢谢。"

不知为什么，我的心跳越发快起来。好多话一股脑儿地涌到嘴边。恨不得此刻就把自己对他的质疑通通说出来，揭穿他——这个坐在黑暗处的男人，这个隐藏着的间谍。"贼！""间谍！"真想大声冲他喊出这些话。想到这里，我感觉自己整个人都在颤抖。我张开嘴，嘴唇动了几下。这时，他突然划了一根火柴，噼噼啪啪地着了。借着火光，我看见他的脸在黄色的火光下显得瘦削而苍白，莫名地引人注目。

他把火柴拿到烟袋锅上，一边用嘴裹住烟嘴，一边点烟。火柴忽地亮了两下，然后就灭了。接着，他的手放在哪儿，那只带有星星之火的烟袋锅就跟到哪儿。

"为什么不坐下来，瓦达西先生？那儿有一张椅子。"

是啊，我刚刚一直像个傻子一样瞪着他。于是我坐下来，感觉自己像是从一辆飞速行驶的汽车车轮下逃过一劫似的。而且，之所以没有遭到碾压，并非我自己躲得及时，是人家司机技术过硬，这才救了我一命。实在是因为无话可说，我才随口问他听没听说英国夫妇在沙滩上遇到的那件事。

"是的，我听说了。"他停顿了一下，"听说是因为那个英国人精神错乱。"

"您觉得是真的吗？"

"未必。关键在于他被惹恼到什么程度。即便是个疯子，要是没有人惹他，他也不会随便打人。"他又停了一下。"暴力这种事，"他继续说道，"说来很奇怪。正常人的大脑有一种极为复杂的机能，是用来阻断暴力行为的。不过，不同文化环境中的人，这种机能的强弱是不一样的。西方人要比东方人弱。当然了，我指的不是战争。因为导致战争的因素有很多。我说的是，比如，印度人就是一个很好的例子。在英属印度地区，蓄意暗杀英国官员的例子比比皆是，这并不是什么稀罕事。有趣的是，在这些暗杀行动中，有很大一部分都是失败的。之所以绝大多数会失败，不是因为印度人射击技术不过关，而是因为在关键时刻，他们的本能战胜了暴力倾向，终止了刺杀行为。对此，我曾经跟一位孟加拉人探讨过。他说，一开始，印度人带着满腔的仇恨，枪打得也很准，足以杀掉当地镇压他们的那些人。他可以躲避侦察，可以堂而皇之地待在人群中不被发现，待时机成熟，目标接近，他举起手枪。这时，目标官员的生死就在他一念之间。紧接着，印度人就会犹豫。在他看来，眼前的官员再也不是什么镇压者，而是一个普普通通的人。于是他心中的仇恨会减弱，犹豫中，他自己就成了周围警卫的枪下鬼。若换作德国人、法国人，或英国人，在这种仇恨的驱使下，他们会开枪，立刻开枪。"

"您认为是什么样的仇恨能让克兰顿-哈特利少校一拳打在了那个意大利人的肚子上？"

"这我就不知道了。不过，您说打在了意大利人的肚子上？我还以为是脸上。"

"关于这件事，我已经听到了三个版本。一个是说打在了下巴上，另一个说打在了肚子上，还有第三种说法，就是根本没用拳头，而是用柔道术将对方直接摞倒。那两个年轻的美国人当时离得最近，他们坚持说是打在了肚子上。"

"若真是这样，我觉得几乎不太可能是少校精神失常所致。可能会有愤怒的成分，但是精神失常的人很少会打人肚子。正常情况下，动物受本能驱使在展开袭击的时候，都是就着最近、最方便打的地方。而精神失常的人往往会袭击脸部。"

"那么，是什么原因导致他那样呢？"

"或许，"他有些不耐烦地说道，"他讨厌那个人。"他站起身来，"我要回去写几封加急信。失陪了。"

于是，他走了。我又在椅子上坐了好一阵子，一直在思考。我不是在想克兰顿-哈特利少校的事情，而是在想席姆勒说的印度人。"在他看来，眼前的官员再也不是什么镇压者，而是一个普普通通的人。"真同情那些印度人。不过，我想的不仅仅是这些，还有"犹豫中，他自已就成了周围警卫的枪下鬼"。用两个词概括这整件事：恐惧和被杀。或者，是否可以这样说，无论是否恐惧，都难逃被杀的命运？没错，就是这样。"正义一方"不会胜出，"邪恶一方"也不会胜出。对立的双方总是相互搏杀，再创造出新的"邪恶"和新的"正义"，继续展开新一轮搏杀。其中最主要的就是矛盾。"矛盾性才是一切运动与生命的原动力。"噢，这是席姆勒说过的话。黑暗中，我眉头紧锁。先前，若多关注一下席姆勒先生的行为，少在他的言语上下功夫，我或许早有领悟。

我缓步走回酒店。写字间没人。看来，席姆勒那些"加急信"已经写完了。从休息大厅经过时，正好遇见科赫夫人，她抱着一摞亚麻布。我说了句："晚上好！"

"晚上好，这位先生。您看见我丈夫了吗？没有吧？他肯定是去打乒乓球了。总会有这种精明的人，一天优哉游哉地过日子，也总会有那种笨人，一天到晚给人家做奴仆。可是，总得有人干活吧。在储备酒店里，活儿都是留给女人干的。"说完，她扭头上了楼梯，嘴里一边高声喊道"玛丽"。

接着，我穿过空荡荡的休息大厅，来到较高一层的露台上。

杜克洛先生正坐在靠栏杆的座位上，桌上摆着一瓶保乐酒和一支雪茄烟。见我过来，他站起来向我鞠了一躬。

"噢，这位先生！我必须得为刚才唐突的离场表示歉意。不过，我实在无法待在那里被人羞辱。"

"我理解，也很同情您，先生。"

他再次鞠了一躬："来点儿喝的吗，先生？我这里有一瓶保乐酒。"

"谢谢，就来一杯苦橙味美思吧。"

他按铃叫服务员过来，接着递给我一支烟，我接过来。很明显，接下来我得扮演一名耐心的聆听者了。于是，他二话不说，直接打开了话匣子。

"虽然我上了年纪，"他一边说，一边往玻璃杯里倒了些水，"可我依旧是个有自尊心的人。自尊心很强。"他停了一下，又取了块冰。我不懂，难道随着年纪的增长，自尊心就该减弱吗？不过好在没等我发问，他又继续说起来。"虽然我上了年纪，"他又说了一遍，"要不是有所顾虑，我真想揍鲁一顿。毕竟，当时有女士们在场。"

"您已经尽可能地维护住了尊严。"我安慰他说。

他将了将胡子："很高兴您能这么想，先生。可是，对于一个自尊心强的人来讲，在这种情况下压制住愤怒可不是件容易的事。我还是学生的时候，经历过一场决斗。对方反驳我，我就揍了他一顿。接着，他又挑事。于是，我们决定来场决斗。朋友们替我们安排。"

他一边回忆往事，一边叹了口气："那是11月一个干冷的早上，冻得我两手发紫、发麻。您会觉得很奇怪，为什么我会在意这些琐事。当时，我们准备叫辆马车去决斗地点。可是，我的朋友想要走路过去，因为我们俩没有钱叫马车。可是，我坚持坐车去。如果我死了，那这点儿钱根本就不算什么事。如果没死，我就完全解脱了，又何必去在乎这些花销。所以，我们最终还是叫了辆马车。但是，我依旧担心自己那冻僵了的双手。我把手插进口袋里，可依旧很冷。本来想放到腋窝底下取暖，又担心被朋友看见我佝偻的样子，还以为我被吓坏了。于是，我就把手放在屁股下面，可是皮凳子上光溜溜、硬邦邦的，手更冷了。那时，我在意的只有那双手。您知道为什么吗？"

我摇了摇头。他的一双眼睛在夹鼻眼镜后面忽闪忽闪的。

"因为，第一，我担心自己不能一下子把对方打倒；第二，如果我的手跟对方的手一样冷，那么他就有还手的可能。"

我笑了："我猜，先生，最后的结果很完满。"

"绝对完满！我们两个都失了手。不仅失手，我们还差点儿打了身边的人。"他咯咯地笑着说道，"从那以后，每每提到此事，我们就大笑一通。如今，他有了一家厂子，就在我那厂子旁边。还雇了500个工人。我雇了730个。他是生产机器的。我这里生产货运箱子。"这时，服务员过来了："先生，您点的苦橙味美思。"

我愣住了。记得有人（斯凯尔顿或者少校）曾经跟我说过，杜克洛先生有一家罐头厂。一定是我弄错了。

"时运维艰，"他继续说道，"工资上涨，物价上涨。可物价下跌的时候，工资也要上涨。被逼无奈，我只好降低工人的工资。可结果呢？手下的工人搞罢工。有些人已经跟了我好多年。我跟他们很熟，一去厂子就跟他们打招呼。可是，那些爱煽风点火的人，他们也在其中，鼓动那些人对付我。我的人才搞了罢工。我该怎么办？"

服务员端着饮品过来，我光顾着看，忘了回应他的话。

"我该怎么办？我坐下来想啊，想啊。为什么我的人会反过来对付我？为什么？答案是——无知。可怜的家伙们，他们根本就不懂，根本就不了解情况。于是，我把他们召集到一起，跟他们解释这个简单的道理。我，杜克洛老爹，会给大家一个解释。可这需要勇气，因为那些年轻人和上了年纪的人都不了解我，再有，那些煽风点火的人很会挑事。"

杜克洛先生抿了一口保乐酒。

"我面对着这些人，"他激动地说道，"站在工厂的台阶上。我抬起手，示意他们安静下来。人群终于安静了。'孩子们，'我说道，'大家都想要涨工资对吧？'随即响起一片欢呼声。我又抬起手，让他们安静下来。接着，我又说道，'孩子们，让我来给大家讲讲，工资上涨会有什么后果，之后你们再做决定。'他们先是窃窃私语了一阵，之后又安静了。顿时，我鼓足了勇气。'物价在下跌，'

我继续说道，'物价在下跌。如果我给大家涨工资，那杜克洛工厂生产的产品就会比竞争者的价格要高，我们就会丢掉订单。你们之中的很多人就会没了工作。难道你们真想要这样吗？'大家大声回答：'不想！'可是，还会有些挑拨事情的人，他们高声抗议，说一些无知的胡话，什么削减利润。可是，该怎么跟这些呆瓜解释呢，投资方是一定要索取利润的，如果没有利润，生意还能做下去吗？于是，我没理会这些人，继续跟大家打感情牌，告诉他们，我时时刻刻都把他们的切身利益放在心上，告诉他们，我希望能够竭尽所能地为大家谋福利，告诉他们，为了我们自己，为了法国，我们必须团结一致。'我们必须，'我说道，'为了共同的利益做出牺牲。'我呼吁大家，要有坚定的信心，还要有更加努力工作的决心，来接受工资下调的事实。说完这番话，大家都为我欢呼。这时，年纪稍大些的人纷纷达成一致意见，劝大家继续回去工作。那真是个伟大的时刻，我喜极而泣。"隔着夹鼻眼镜，我能看见那双眼睛闪烁着晶莹的泪珠。

"一个伟大的时刻，正如您所说，"我机智地回应道，"可是，您觉得，这件事真有这么简单吗？如果降低工资，那么物价不会因为消费水平的降低而进一步下跌吗？"

他无奈地耸了耸肩。

"嗯，"他含糊其词地说道，"在这方面，有明确的经济学规律可循，人为干扰绝不是明智之举。如果工资标准高于自然水平，那么系统的微平衡状态就会被扰乱。不过，我就不跟你讲这些烦琐的道理了。在工厂里，我的身份是个商人，敏感、果断、坚定。此时此刻，我是来度假的，暂且先把肩上那些担子放一放。在这里仰望星空，让疲惫的大脑休息一会儿，我就知足了。"

接着，他把头往后一甩，望着遥远的星空。"真美！"他神情专注地小声嘀咕着，"真美！这么多星星！太壮观了！"

接着，他又看了看我。"我对美很敏感。"他说道。随后，他就把注意力放在了玻璃酒杯上，往里添了些水稀释，然后一口喝掉了。他看了看手表，站起身来。

"先生，"他说道，"已经10点半了。我是个上了年纪的人。很高兴能跟您聊天。那么，请允许我先回去休息。晚安，先生。"

他鞠了一躬，跟我握了握手，把夹鼻眼镜放进口袋里，踉踉跄跄地进屋去了。我突然反应过来，这一晚，杜克洛先生可能喝了不止一杯保乐酒。

我又到休息大厅坐了一会儿，看了看两周前的一期*Gringoire*[1]。后来，实在无聊，我就出门来到花园里，打算去看看那对美国兄妹。

乒乓球桌旁一个人都没有，灯光依旧照在桌上。两只球拍交叉放在上面，球把之间夹着一只瘪掉的乒乓球。我拿起来，往桌上弹了弹。乒乓球发出奇怪而嘶哑的碰撞声。正当我把球放回原位时，听到附近有脚步声。我转过身，以为能见到此人。可是，光线聚集在桌子上，周围就显得更加幽暗。即便有人在那边，我也看不到他（她）。于是，我侧耳听了听，再没有了声音。不管是谁，应该是从这里经过。随后，我打算去下面露台上的亭子里待一会儿。

我穿过灌木丛，来到一条小径，准备往台阶那边走。眼看要走到台阶，抬头能看见柏树丛中露出的一窄条星光闪耀的墨蓝色天空。就在这时，事故发生了。

我隐约听到一阵窸窸窣窣的声音从左侧传来，刚要转身去看。下一刻，我的后脑勺就被什么东西打了一下。

我觉得自己当时是有意识的，只不过意识当中的下一个场景是自己

---

1 一种出版于1928年至1944年的法国政治文学周报。

的半个身子被拖出了小径，半边脸贴着地面，好像有什么东西使劲将我的肩膀按在地上。当时，只感觉眼底有一道朦胧的光在闪烁，耳朵嗡嗡地响；透过这嗡嗡声，我听见一个人急促的喘息声，还能感觉到有人把手伸进我口袋里翻了一阵。

没等我这晕乎乎的大脑恢复神志，整件事就结束了。肩膀上的压力突然没有了，小径上一阵脚步声散去。接着，一切都安静下来。

我在地上躺了几分钟，用双手紧紧抱住头部，逐渐感受到阵阵汹涌的剧痛。一会儿过后，待痛感稍微缓解、稳定一些时，我慢慢站起身来，划了一根火柴。再一看，钱包敞开着放在地上。里面只有钱和几张零散的纸，一样都没少。

我挪步朝酒店那边走去。途中，有两次头晕目眩得厉害，我不得不停下来，等稍微恢复了一些再走，就这样，我独自一人走回房间，没有人帮忙，也没遇到任何人。回到房间，我一头栽到床上，叹了口气。这颗脑袋终于能放松地躺在松软的枕头上了，可是这样的放松真让人觉得憋闷。

或许是得了延迟性脑震荡，或许只是累了，躺下不到一分钟，我就昏昏欲睡起来。临睡前，脑子里冒出的最后一个念头让我觉得有些无厘头，怀疑自己一定是得了脑震荡。

"一定要记得，"我不停地对自己说，"记得告诉贝金，克兰顿-哈特利夫人是意大利人。"

10

巴蒂斯塔

回顾接下来的这24小时，感觉就像看戏时把小型双筒望远镜拿倒了一样。只能看出台上的人在动，可他们的脸太小了，根本看不清。必须把望远镜正过来才可以。可是，等我把望远镜正过来再一看，人物的轮廓又变得模糊扭曲。总之，每次只能聚焦舞台的一部分，这样才能看清楚。所以，接下来讲的这段会有镜头内外来回切换的感觉，提前知会一声，请您做好心理准备。举个例子，您就明白了。

那个周六的早上，我3点钟就醒了，发现自己躺在床上，衣服也没脱，灯开着。这才想起来，我倒头就睡之前忘了关灯。迷迷糊糊一直觉得不舒服，这才醒了过来。醒来后发现，原来自己真病了。于是，我脱了衣服，吃了两片阿司匹林缓解头痛，又喝了杯水，上床睡了会儿。过了近半个小时，才再次入睡。

接下来，我们就切换到镜头之外。老实讲，我最后是哭着入睡的，而且，大家可以任意发挥想象力，想象我在那半个小时里的情绪状态和思想本质。满脑子想的都是相机、贝金、南斯拉夫监狱，还有那个拿棒子偷袭我的人。我本不是爱哭的人，而且已经15年没有哭过了。但是我记得那天，枕头都被泪水浸湿了。

哭这种事，没人愿意承认，我本想将这段丢脸的经历从晨间插曲中省略掉。可若真这样做了，接下来的事情又无法自圆其说。因为下楼吃早饭时，我心情很愉悦，至于为什么愉悦，必须给大家一个解释。心情压抑时，哭是一种很好的发泄方式，而且效果惊人。

或许，"愉悦"这个词有些不恰当。毕竟，没什么事可让我愉悦的。我觉得，用"听天由命"来形容当时的心情更加贴切。如果这是真主安拉（或者其他掌控人类命运的神明）的意愿，生命中接下来的几年时间里，非要我在南斯拉夫监狱度过，我也只能认命。我再也不奢望能够如愿以偿地在星期天赶回巴黎。我甚至努力地回想过，南斯拉夫政府有没有偶尔赦免政治囚犯的惯例。无论如何，这才是我在长途跋涉穿越狄那里克阿尔卑斯山脉时心里应该想的事，应该祈盼的事。

现在回忆起来，当时的我彻底乱了分寸。奈何，总要等到事后才能清楚地意识到这些。好就好在，接下来的那一整天里，我都没有失去理智。说得委婉些，那真是神奇的一天。我遇到的第一件神奇的事恰巧和克兰顿-哈特利有关。

那天，我很晚才下楼吃早饭，当时露台上只剩下弗格夫妇。

我后脑勺上肿起一个炮弹大小的包。虽然现在已经没那么疼了，但当时的确很疼，走路时，脚后跟每每接触地面，它都会跟着突突地疼。

我索性踮着脚小心翼翼地来到露台，找个地方坐下。弗格夫妇正要起身离开。他们一边朝我笑，一边走了过来。我们互相问了早安。随后，弗格先生的一句话爆了那天的第一把猛料。

"您听说了吗，"他说道，"英国少校和他太太就要走了？"

听了这话，我脑袋像针扎一样疼了一下："什么时候？"

"我们也不知道。从杜克洛先生那里听说的，他的消息很灵通。我觉得，这样再好不过了。我是说，离开这里是英国人最明智的选择。经历昨天那件事之后，很难再在这里待下去了。过一会儿我们沙滩见吧？"说着，他朝我使了个眼色，"那位美国小姐早就过去了。"

我随口应付了一句，接着他们就离开了。这么说，克兰顿-哈特利夫妇要走了！最令我担心的事还是发生了。倒不是说克兰顿-哈特利少校是间谍的嫌疑最大。这种想法太过荒谬。然而事实摆在那里，克兰顿-哈特利夫人是意大利人。回想起那天在警长办公室时的情景，贝金反复地问我认不认识意大利人。这不可能，可是……

目前能做的只有一件事：立即给贝金打电话。想到这里，我三两口把咖啡喝完，准备穿过休息大厅和大堂，直奔马路。结果，还没等我走到一半，就被人叫住了。树丛之中有一条直通花园的小路，那人从小路出来，朝这边走来，原来是少校。从他的各种行为迹象来看，他希望我能留下来跟他聊聊。

"我在到处找您，瓦达西。"走到近前能听见彼此说话时，他跟我打招呼说道。我停住脚步，他走上前来。他故意放低了声调，"如果您现在不是特别忙的话，我想跟您私下聊几句。"

我得承认，当时我脑子里闪现的第一个念头就是，这位少校是来坦白自己间谍身份的，不过这个念头着实有些愚蠢。我犹豫了片刻，随后彬彬有礼地鞠了个躬："当然，少校。悉听尊便。"

他二话不说，把我带回酒店里，进入写字间。他拉了把椅子。"破椅子，真不舒服，"随后，他又不好意思地说了句，"不过，总比休息大厅的椅子好。"

这明显是假话。傻子都知道，他把我拉到写字间是因为这里通常没人。接着，我们俩坐下来。

"恐怕我没有烟给您，"他说道，"因为我不抽烟。"

看得出来，他被自身的窘态搞得有些手足无措。为了缓解尴尬的气氛，我自己拿了根烟点上。他坐在椅子上，身子稍稍探过来，两只手时而紧握，时而张开，眼睛一直盯着地面。

"是这样的，瓦达西，"他突然说道，"出于极特殊的原因，我想找您聊聊。"他停住了。我一边看着烟头，一边等他继续说。周围很安静，连壁炉上方钟表的嘀嗒声都能听到。

"您昨天下午没来沙滩，是不是？"他出其不意地问了我一句。

"没有。"

"我想也是。印象中，没见到您。"他犹豫了一下，想来是在斟酌词句，"您可能已经听说了吧，昨天沙滩上发生的事？我承认，我是发了脾气。真让人不痛快。"

"我的确听说了一些。"

"一猜您就听说了。这种事情，那些人怎么可能守口如瓶呢。"他又停住了。我心里在想，什么时候能切入正题呢？突然，他抬起头看着我的眼睛。

"他们都在传，说我是个疯子，还说我无法控制自己的行为，是不是？"

这个问题太出乎我的意料。我完全不知道该如何回答，只觉得自己的脸涨得通红。

"我很抱歉。"

他微微一笑："不好意思，让您为难了，可是我得弄清楚自己的处境。看您的表情我就知道了，答案是肯定的。嗯，这正是我想跟您谈的原因，另外还有一些别的事。"

"噢，我能理解。"我尽量回答得自然一些，仿佛听惯了别人的解释，解释他们为什么会被当成疯子。然而，他好像没心思听我的应答。

"我知道，"他说道，"让陌生人，嗯，让刚认识的人帮我分担琐事的压力有些不厚道。可是，我有充分的理由。要知道，瓦达西，在这里，我只能跟您聊。"他一脸忧郁地看着我，"希望您不要介意。"

我虽然心里在问，您老人家到底想说什么，可嘴上却只能说，我不会介意。

"您能这么想太好了，"他继续说道，"这些可恶的异乡人……"他突然停住了，应该是意识到自己这样说有些不妥，"要知道，瓦达西先生，是关于我太太的。"他又停住了。

我受够了他这个样子。"如果，"我暗示他说，"您愿意接受我这番好意，想把心里的苦闷发泄出来。那么，我想提醒您一下，您到现在还没跟我说是什么事。"

听了我这番话，他的脸唰地一下红了。接着，他就又稍稍切换到军人的语气。"很对。不要拐弯抹角。如果不是出于某种原因，我也不会坐在这里浪费您的时间。我就把话挑明吧。我把整件事都告诉您，您自己作判断。我不想被您误会。"说着，他一只手握成拳头轻轻撞在另一只手的手掌上。"我要把话挑明。"他又重复了一遍。

"1918年年初，我在罗马遇到了我太太。"他停顿了一下，我正担心他会再作犹豫，没想到他继续说了下去。

"意大利人在卡波雷托战败以后，就撤向了皮亚韦河。那时，我刚好被调任到一名分区师长身边做副官。当时，意军的失败和溃退引起了英法联合指挥部的极度恐慌。当然了，当时的情况令绝大多数人都以为奥军的目标是米兰周边的工业区。不过，也有人在私下里或者在公开的场合表示，奥德联军总参谋部不会单单因为这个把那么多军队从西部前线派过来，他们的真正意图是经由意大利北部平原侧翼包围瑞士国界线，最终的目标是法国里昂。也就是向西推进。"他在最后这个德语词组上结巴了一下。

"总之，英法联军将武器和部队调到意大利，意欲终止这场混战，我们少数几个人被派去做协调工作。我先是去了比萨。他们那里的铁路系统简直是一团糟。当然了，我对铁路这块一窍不通，好在跟我一同前往的还有一个刚被提拔上来的军官，他在英国待过一段时间，我们在一起相处得很好。后来在1918年时，我被派到了罗马。

"您冬天的时候去过罗马吗？那地方真不赖。当时，那里有一处非常大的英属殖民地，不过大都是军用区，我的一部分任务就是跟意大利人搞好关系，以示友好。没过多长时间，我们就打成了一片。可是，刚到那里几个月，我就遭了点儿霉运。要知道，意大利骑兵营的家伙们个个都是骑术高手，人都略微有些癫狂，马也是。总之，有一天，我和其中的一个伙计出去骑马慢跑，只见他纵马一跳，哎，我真不该骑那匹冠军马（全国冠军）。当时，我那匹马跟着一跃，一下子把我摔下来。我摔断了一条腿，还有几根肋骨。

"那时，我住在酒店，他们无法照顾我，所以，我就住进了医院。问题是，那时候北边又起了战争。后方医院里的伤员都得由火车拉着，分送出去，好给那些新伤员腾地方。当时，床位紧张，他们送我去的那家医院人特别多，医护人员严重不足。于是，我向一位熟识的意大利军官（从事非军事工作）发出紧急求助，第二天就被转去了罗马郊区的一栋私人别墅。那栋别墅是归一个家族所有的，为康复军官提供义务护理。那家人姓斯塔蒂。"

他看了我一眼："我猜，您此刻肯定在想，这跟昨天下午沙滩上发生的事有什么关系？"

其实，我不仅在想这些，我还在想，沙滩上发生的事跟我又有什么关系呢？不过，听了他这话，我还是点了点头。

"我正要说到这个。"他说道。只见他不安地揉搓着手指，像是被冻着了一样。

"斯塔蒂那家人很奇怪，至少我是这么觉得。母亲过世了，只有一个老头和他的孩子们——两个女儿，玛丽亚和沙拉菲娜，还有一个儿子，叫巴蒂斯塔。玛丽亚25岁，沙拉菲娜比姐姐小两岁。巴蒂斯塔32岁。斯塔蒂是个干瘦的小老头，满头白发。那时候，他70岁了，是罗马赫赫有名的银行家，富可敌国。嗯，您是知道的，在别人家住了那么多个星期，肯定对他们家人之间的关系了如指掌。一天之中的大部分时间我都是坐在外面的花园里，腿和肋骨用绷带缠着，他们常过去跟我聊天。嗯，除了斯塔蒂老头。平日里，他不是待在办公室，就是会见要客。当时，他在罗马是很有影响力的。好在玛丽亚经常过来看我，沙拉菲娜偶尔会来，但即便来了，我们聊的内容也无非是那个送我到她家休养的意大利人。他们就要结婚了。后来，巴蒂斯塔也开始过来看我。

"巴蒂斯塔不喜欢老爷子，老爷子也没有时间搭理他。我猜，两人之间诸多矛盾的源头是因为巴蒂斯塔心脏不太好，不适合参与军务。老头一心热衷于击溃奥军。总之，巴蒂斯塔经常跟我抱怨，说父亲如何让他刻苦，如何不给他钱，让他手头紧巴巴的，还跟我说，等老斯塔蒂去世后，他就用继承来的财产干这干那。有时，这种话听上去有些无聊。他是个讨厌的家伙，身形肥胖，松松垮垮的。可惜，我没什么事情可做，只能看看风景，但这样更无聊——一望无际的平原上，到处都是柏树，好没意思。说来，巴蒂斯塔身上有一种特质，令我刮目相看。他和他父亲一样，有着敏锐的商业头脑，有一种说不清道不明的精明，相比常人，眼光要长远很多。逐渐地，我越发有所体会。

"总而言之，几周的时间很快就过去了。玛丽亚和我相处得很好。我们之间不是护士和病人的关系，因为他们雇了专门的护士来照看我。只是，玛丽亚不喜欢那些年轻的意大利军官，他们常常一副趾高气扬的样子，把人家的礼待当作理所当然。她对待那些人的态度与妹妹不同。总之，我和玛丽亚彼此心照不宣，打算战争一结束，我就回来娶她。不过我们彼此什么都没说，我猜，鬼机灵的沙拉菲娜早就知道了我们的心意。您也知道，她信仰天主教，所以这件事很难办，除非万事俱备，否则我们不能轻易谈论此事。到了春天，我被调派回法国。

"嗯，一切进展得都很顺利，直到8月，在一次毒气弹轰炸中，我被俘虏了。1919年年末，他们才把我放出来，那时，我只有半个肺是功能正常的，他们让我找个气候温暖干燥的地方生活。嗯，正好，我去了罗马。那家人见了我都十分高兴，尤其是玛丽亚。几周后，我们就宣布订婚了。

"刚开始，一切似乎都很顺利。老斯塔蒂很高兴。我猜，他多少还是有些不甘心的，宁愿我丢了一只胳膊或是一条腿，也不愿我被毒气毒成这样。不过，他还是同意了我们的婚事。婚礼按部就班地筹备着，气候对我的肺病有着神奇的疗养作用。可后来，发生了一些事情。

"那时，巴蒂斯塔已经在父亲的商业帝国中有了很高的威望。有一天，他来找我，问我愿不愿意赚大钱。我当然想再听听他怎么说。在当时，很多人都是从意大利政府那里花低价把剩余的机枪买来，运到叙利亚，在那里他们可以以六倍的价格卖给那些阿拉伯人，这样可以赚很多钱。而你只需做一件事，那就是筹到足够的钱去进购那些枪支。巴蒂斯塔是这么和我说的。

"所以，您可以想象，我当时很想抓住机会。巴蒂斯塔跟我抱怨说，他手里约莫只有1000英镑，我们俩至少得有5000英镑才能办成这件事。于是，我同意出那4000英镑。除了我的抚恤金和一小份地产期待权收益（地产归我表弟所有）以外，那些是我全部的家当，我太渴望用这4000英镑换回六倍的收益了。

"我对做生意一窍不通，从来没弄明白过。若是给我几个人、几把枪，给他们分派任务，我倒是能做得来。可是说到这种琐碎的生意往来，我根本没有那个头脑。于是，我就把一切事宜都交给了巴蒂斯塔。他说要现金，我就给他现金。他说由他去谈细节，我也同意了。他甚至还拿来很多文件让我签，我都照办。我就是个傻子，可又有什么办法呢？谁让我的意大利语不好？即便我想去查他，也得有那个能耐呀。

"刚开始，没有任何事发生。可有一天，老斯塔蒂派人把我叫了去。他说，他发现我和其他两个人合伙做了一笔生意，那两个人的名字我听都没听说过，还说跟一批运往叙利亚的机枪有关，说我给他们写了书面保证，卖给叙利亚的那批货，会付给他们销售价25%的提成。我说，我根本就不知道什么25%的提成，我只出了4000英镑给巴蒂斯塔，让他拿去做一桩运送枪支的生意。生意上的事，我只知道这些。我建议他最好去问问巴蒂斯塔。

"当时，他气得火冒三丈，说有我的书面保证，问我到底签没签。我承认签过，但是我又说，我根本就不知道自己签的是什么。他让我别再装傻了，要我给他一个解释。长话短说，总之，事情是这样的，我签的那份文件的确是一份保证书，保证给那两个人25%的提成，那两个人是意大利陆军部的人，负责销售枪支，也就是说，这是一笔巨额贿款。陆军部长气势汹汹地来找老斯塔蒂问罪，想知道他这位未来的女婿到底是在要什么花招。老爷子身为银行界领军人物，觉得很丢面子。

"我当然不能承认这件事，于是他派人把巴蒂斯塔叫了过来。巴蒂斯塔一进屋我就意识到，这下完了。他咧着嘴笑，一副自以为是的样子，我恨不得上去揍他一顿。他撇清了自己，说对此事毫不知情。还说他也被这事吓了一大跳。"

少校紧攥拳头，煞白的骨节清晰可见。

"然后，就没了，"他继续说道，"很明显，老斯塔蒂之前修改过遗嘱，要把一半的财产留给玛丽亚。巴蒂斯塔就是要利用这次机会横加阻挠。他也的确做到了，还从我这儿骗走了4000英镑。我跟老爷子大吵了一架。他说我这是在败坏他儿子的名声，和他女儿结婚就是为了他的钱。他还说，婚礼取消了，24小时之内，若我还未离开意大利，他就让人把我抓走，把丑闻公之于众。于是，我决意离开，"少校语气迟缓地说道，"可我又犯了傻，居然劝动玛丽亚违抗她父亲的意愿跟我一起走。后来，我们就在巴塞尔成了婚。"

他停住了。我没说什么，又能说什么呢？不过，他的话似乎还没说完。他清了清嗓子。

"女人真是一种有趣的生物。"他痴痴地说道。停了一会儿，又说，"我猜，我那亲爱的太太决意跟我离开时一定不知道我有多穷。她早就过惯了锦衣玉食的生活。我们尝试着在英国待了一段时间，可我的肺受不了。后来，我们就去了西班牙。可大流感[1]一暴发，我们就只好换地方。接着，我们去朱安雷宾待了一段时日，可到了旺季，那里的花销太大了，所以我们才来到这里。她厌恶这一切。当初，她就不应该离开自己的家人。在她看来，我们都是异乡人。她甚至不愿讲英语。有时我在想，她可能连我都厌恶。其实，我被巴蒂斯塔欺骗这件事，她从没真正谅解过我。她还说，我肯定是疯了。有时，她也会跟别人这样说。"说到这里，我能从话语中感觉到他整个人都是身心俱疲的。

"您真该目睹一下她昨天认出巴蒂斯塔时的样子。当初他对我做的那些事，她心知肚明，可一见到他，她还是那么喜出望外。简直让我无法忍受。后来，他又开始挑衅。如今，他拿到了老人的财产，还嘲笑我，拿当年耍我的事开玩笑。开玩笑！我的老天，要是当时手里有把枪，我肯定给他一枪。但其实，我只打了他一下，而且还没打在他那张沾沾自喜、咧着嘴笑的脸上，而是打在了他的大肚子上。这个流氓！"说着，他的声调越发高起来，紧接着就开始咳嗽。还好，他控制住了情绪，也就没有再咳下去。紧接着，他用挑衅的眼神看着我，"您是不是也觉得，我就是个傻子，嗯？"

我小声说了句"不是"。

他一阵苦笑："您那么想也没什么错。而且接下来，我还想求您帮个忙，等我说完，您可能还会觉得我是一个众叛亲离的人。"

不知为什么，我的头猛地疼了一下。终于说到正题了。我问道：

1　指1918年的西班牙大流感。

"什么事？"准备听他继续说。

这时，他又变得拘谨、不安起来。吞吞吐吐，好像说每一个字都很吃力。"本不该跟您说这些，瓦达西，可是我希望您能理解我的处境。求人太难了。昨天的事过后，我亲爱的太太和我再也无法在这里待下去了。人们都在说三道四，大家都觉得难堪。而且，我的肺病也不太适应这里的气候。每周一都有一趟从马赛到阿尔及尔[1]的轮渡。我们想搭乘那趟轮渡。问题是——"他犹豫了一下，"真不想因为这样的私事麻烦您，可是说实话，我真是走投无路了。我本来没打算去阿尔及尔。我在科赫这里已经花了不少钱。可发生了这种事。您可能以为，遇上这种事，顶多算我倒霉。其实，连我自己都瞧不上那些乞讨的人。但事实既已如此，瓦达西，可以的话，您能不能借我几千法郎到这个月底，算是帮我一个大忙。真不愿跟您开口，但是您也知道我现在的处境。"

听了这话，我完全不知道该说什么，不过我刚要开口说话，却被他打断了。

"当然了，我不会这么口说无凭地让您把钱借给我。我会给您一张考克斯银行的延期支票——嗯，若您不介意换成英镑的话。比法郎要保险，瞧我说什么呢！"他勉强地笑了笑，太阳穴上渗出了细小的汗珠。"当然了，我不该想着来麻烦您，可是我们又必须离开这里，实在是让我陷入了窘境。在这里，我也只能跟您一个人开口，还有——嗯，我心中的感激之情无以言表。"

我无助地看着他。那一刻，若能让我口袋里有5000法郎，若能让我仗义一笑，慷慨地拿出钱包，若能宽慰他的心，我宁愿付出一切代价。"我的老天，当然可以，我的少校！您为什么不早说？哪里谈得

1　阿尔及利亚首都。

上麻烦。希望这5000法郎能解决问题。还有，只是兑现支票而已，无论到什么时候，考克斯支票都跟英国银行的支票一样好用。很高兴能帮到您。您能跟我开口，是我的荣幸。"奈何，我没有5000法郎，连2000法郎都没有。只有一张返回巴黎的车票，除了勉强能支付储备酒店的花销，剩下的钱就只够一个星期的生活费。我什么都做不了，只能两眼盯着他，听壁炉上的钟表嘀嗒嘀嗒地响。他抬起头看看我。

"我很抱歉，"我结结巴巴地说了句，又说了句，"我很抱歉。"

他站起身来。"没关系，"他心灰意懒地说道，"您不必放在心上。我就是想看看您能不能帮上忙，就这样。占用了您这么长时间，我很抱歉。都怪我，没有顾及您的状况。钱的事就当我没说。我就是想问问您，就这样。不过，能跟您说说话也好。我不常有机会跟人讲英语。"接着，他挺直了背，"那么，我还要去收拾些东西，明天好早些离开。希望我能尽早解决这一难题。临别前，我们再叙。"

等我反应过来时，已经太迟了。

"我无法表达我的歉意，少校先生，没能帮到您。不是因为我不想跟您用现金兑换支票，是因为我连2000法郎都没有。我只能勉强支付在酒店的开销。但凡有一点儿钱，我都会非常乐意地把它借给您。真的十分抱歉。我——"说到这里，我本想继续跟他表示歉意，想通过自嘲的方式来让他重拾自尊心。可是，我再也没机会这么做了，因为我说这些话的时候，他已经转身离开了写字间。

大概十几分钟后，我打通了警察局的电话，要求和警长通话，结果听到的是贝金那一腔不耐烦的声音。

"你好，瓦达西！"

"我有事要报告给您。"

"哦？"

"克兰顿-哈特利少校和他的太太明天可能会离开酒店。他想从我

117

这里借钱，作为他和太太去阿尔及尔的旅费。"

"哦？你把钱借给他了吗？"

"雇主还没把土伦照片的钱付给我呢。"我不假思索地反驳道。

不过令我意想不到的是，我这冒冒失失的言语竟逗得对方略略地笑了起来。

"还有别的消息吗？"

听了这话，我又没忍住冲动，随口跟他说了一句，本想再逗个乐子。

"我猜您可能不觉得这是什么重要的事，我昨晚在花园被人打晕了，还被搜了身。"说这话的时候，连我都觉得自己很蠢。这一次，贝金没有笑，而是语气严肃地命令我再说一遍。我又说了一遍。

接着，电话里沉默了好一阵子。之后听到：

"为什么一开始没说？浪费了这么长时间。查清那个人是谁了吗？说说你的看法。"

我说了说自己的看法。随后，他问了我一个一直令我忐忑不安的问题。

"你的房间被人搜过了吗？"

"我猜，是的。"

"'你猜，是的'是什么意思？"

"我行李箱里的两卷胶卷不见了。"

"什么时候？"

"昨天。"

"还丢了什么？"他很仔细地问道。

"没有了。"毕竟，那架相机早就被人从大厅的椅子上拿走了。

又是一阵沉默。本以为他接下来会问我相机是否还在，可他却没有问。我还以为电话线路被掐断了，冲着话筒说了句："喂！"这时，他告诉我稍等一下。

紧接着，我的头开始一阵一阵地疼起来，等了两分钟。只听电话里有人在嘀咕着什么，一个是贝金尖细的声音，一个是警长的低吼声，不过，听不清他们在说什么。最后，贝金拿起电话。

"瓦达西！"

"在。"

"仔细听好了。你现在赶紧回储备酒店去，找到科赫，告诉他，你的行李箱被人撬开了，丢了几样东西——一只银质香烟盒、一个装着钻石别针的盒子、一条金表链，还有两卷胶卷。要故意把事情闹大。再把这件事透露给其他宾客。去投诉。我想要整个储备酒店的人都知道这件事。不过，不能报警。"

"可是——"

"没有可是，按照我说的做。你的行李箱被撬了吗？"

"没有，可是——"

"那你就先把它撬开，再去告诉科赫。你现在要注意一点儿。胶卷的事只能随口一提。主要是关心那些值钱的东西。明白了吗？"

"是的，可是我根本就没有烟盒或者钻石别针、金表链之类的东西。"

"你当然没有，因为已经被人偷了。现在就去办吧。"

"这不可能，太荒唐了。您不能强迫我做这些——"没等我说完，他就把电话挂了。

我愤愤地走回酒店。在这件事情上，如果说有谁比我更蠢，那绝对是贝金。只不过，如果这件事办砸了，顶多让间谍溜了，他什么损失都没有。

11
两卷胶卷

接下来，我费了好大力气伪造证据。这次，我可是下了很大的决心，既然贝金要我制造盗窃现场，那我就好好给他弄一个。

我拿出行李箱，先将它锁上。之后，我环顾四周，看有没有什么可用的工具，好把锁撬开。我先找来一把指甲刀。行李箱的锁虽算不上结实，但想用指甲刀把它撬开，还是有些难度的。我撬了大概5分钟，不仅没撬开，还弄断了上面的一片刀片。于是，我又花了几分钟时间，想物色一个稍微结实点儿的工具。无奈之下，我只好把卧室门上的钥匙拿下来，把上面的扁平金属钢圈当作撬棍。最后，锁终于没能抵挡住我的一番破坏行为，只不过钥匙被别弯了，我又花些时间把它掰直。然后，我把箱盖打开，将里面的东西翻乱，再故意扭曲着一张脸，装出一副毫不知情又愤怒的样子，然后赶紧神色匆匆地下楼去找科赫了。

他没在办公室。我一路寻他到海滩上，发现他正穿着泳衣懒洋洋地躺在那里。这时，我那毫不知情又愤怒的表情已经涣散成了一种极度的不安。斯凯尔顿兄妹、法国情侣以及杜克洛先生也在那里。我本打算找一个更佳的时机，可转念一想，还是算了。我告诉自己，要时刻记得，你遭遇了一场入室盗窃。有人从我的房间里偷走了几件值钱的东西。正常人遇到这种情况是什么反应，我现在就得是什么反应。即便此刻经理只穿了条泳裤，我也必须将此事报告给他。本来，在这种情况下，一个身穿得体的黑色制服且举止温文尔雅的经理更能让我进入状态。罢了，此刻，也只好尽我所能地在科赫面前表演。

我从台阶上跑下来，来到沙滩上，蹚过一片沙子，直奔他而去。然而就在这个时候，有人把我叫住，打乱了我的节奏。原来是斯凯尔顿，他听见一阵下台阶的脚步声，便从遮阳伞的边缘朝四周望了望，于是就看见了我。

"嘿！"他招呼我过去，"一早上都没看见您。您是想在午饭前下水吗？"

我先是犹豫了片刻，随即便意识到现在没有工夫跟他闲聊，于是我继续往前走。此时的玛丽·斯凯尔顿正趴在沙滩上，听见我过来，她扭过头瞟了我一眼。

"还以为您不跟我们一起玩儿了，瓦达西先生。要知道，您没有权利玩弄孩子们的感情。赶紧换上泳装，过来跟我们聊聊有关克兰顿-哈特利的最新消息。早饭后，我们透过写字间窗户看见您跟他说话来着。"

"你这样就没意思了！"哥哥对妹妹抱怨说，"让我来循序渐进地把话题引出来。怎么样，瓦达西先生？"

"请二位谅解，"我着急地说道，"我现在得跟科赫说两句话。回头见。"

"那就这么说定了！"他朝我这边喊道。

此时的科赫正在和鲁、杜克洛聊天。看得出来，前一晚发生的不愉快早就被他们忘到九霄云外了。他正在跟其他两位描述，说格勒诺布尔[1]那个地方有多么多么好，我过来打断了他。我站在那里闭口不言，一脸沉重的表情。

1　法国东南部城市。

"抱歉,先生,可是我想和您单独谈谈。十万火急。"

他扬了扬眉毛,跟其他人打过招呼后便跟我走过来。接着,我们来到了稍微远一些的地方。

"有什么能帮您吗,先生?"语气略微有些不耐烦。

"很抱歉打扰到您,可是恐怕得麻烦您跟我去一趟我的房间。我刚才去了村子一趟,结果行李箱就被撬开了,里面几件值钱的东西被人偷了。"

听完,他又扬了扬眉毛。嘴里一边轻轻地吹着口哨,一边快速地瞟了我一眼。接着,他小声说了句"稍等"。说完,他回到原地,把泳衣和凉鞋拿起来穿上,随后又来到我这边。

"我这就跟您过去。"

就这样,我们在其他人好奇的目光中离开了沙滩。

去我房间的途中,他问我丢了什么。我就按照贝金说的那些莫名其妙的物件跟他描述了一遍,最后捎带着提了一下胶卷的事。他点点头,没有作声。这时,我越发紧张起来。没错,他根本不知道这件事是精心策划的。然而,在这件事情上,我毕竟是计划的实施者,所以尤其紧张。别看科赫平时懒散,一副好逸恶劳的样子,可他绝不是傻子。此外,还让我有所顾虑的是,胶卷被盗以及昨晚我在花园被人打晕这件事,都不排除是他干的。若真是这样,他就一定知道我在说谎。那后果将对我极为不利。想到这里,我又在心里狠狠地骂了贝金一顿。

科赫心平气和地查看了一下行李箱被我撬开的地方。接着,他挺直后背,转过头来,我俩四目相对。

"您说您大约9点钟离开的房间?"

"是的。"

"那个时候行李箱还是完好无损的,对吗?"

"是的。我下楼前做的最后一件事就是把行李箱锁上,然后放到

122

了床底下。"

他看了看手表："现在是11点30分。您回来多长时间了？"

"大约15分钟。不过，回来时我并没有直接去查看行李箱。一发现物品被偷，我就立刻去找您了。太不像话了。"我笨嘴拙舌地补充了一句。

他点点头，若有所思地打量了我一番："您介意跟我去趟办公室吗，先生？我要记录一下丢失物品的详细信息。"

"当然可以。不过，我可警告您，这位先生，"我嘟囔道，"这件事您得负责处理一下，必须立即把我那些值钱的东西找回来，并对盗贼加以惩罚。"

"这是自然，"他礼貌地说道，"我一定能在短时间内将失物物归原主。这一点，您没有必要担心。"

接着，我就像一个忘了台词的业余演员，跟着科赫去了他办公室。他小心翼翼地把门关上，给我拉了把椅子过来，拿起一支笔。

"那么，先生。如果您愿意的话，先来说说烟盒。我刚才好像听您说，是一只金烟盒。"

我快速瞄了他一眼。他正在纸上写着什么。这时，我心里有些慌乱。从沙滩回来时我说的是金烟盒吗？我怎么都想不起来了。或者，他是在给我设圈套？不过此时，我已有了主意。

"不，是一只银质烟盒，描的金边。上面有，"我说着，圆谎的状态渐入佳境，"上面有我名字的首字母J.V.，就刻在外壳的一个边角上，里面装有10支香烟，但橡皮筋已经没有了。"

"好的，还有表链？"

这时，我想起自己在蒙帕纳斯车站附近一家珠宝店橱窗里看到的一条二手表链。

"18k金的，比较厚实，老式的链子，沉甸甸的。上面还有一个布鲁塞尔1910年世博会的金质纪念章，很小巧。”

他仔细地记录下来。

“接着是，别针，先生。”

这个就没那么简单了。“就是一只别针，先生。大概6厘米长的领带别针，一头有一颗直径约3毫米的小钻石。”我略有些冲动地说道。"那颗钻石，"我难为情地笑着说道，"其实是人造的。”

“那么，别针是纯金的？”

“镀金的。”

“还有，装别针的盒子呢？”

“那是一个锡质的盒子，其实是装烟的，德国烟盒。我也不记得是什么牌子了。对了，除了这些，还有两卷胶卷，康泰时胶卷。都是曝过光的。”

“您有康泰时相机？”

“是的。”

他又看了看我：“我觉得您应该确认一下相机是否还在，先生。要是被小偷偷了去，能卖不少钱。”

听完，我的心骤停了两下。老天，我还真是笨嘴拙舌。

“相机？”我一脸蒙地说道，“我倒没去查看。就放在抽屉里了。”

他站起身来：“那么，我建议您，先生，我们现在就去看看。”

“好的，当然。”顿时，我感觉自己的脸涨得通红。

接着，我们又上了楼，朝我的房间走去。我小心地酝酿着情绪，准备一会儿来个绝望而愤怒的尖叫，这个还是很有必要的。

紧接着，我急匆匆地跑到衣柜跟前，拉开最顶层的抽屉，疯狂地翻找起来。之后，我慢慢地、戏剧性地转过身。

“不见了！”我冷冷地说道，“太过分了。那架相机价值近5000法郎。必须马上把那个贼找出来。先生，您必须立刻、马上采取行动。"

可此时，他的嘴角泛起微微的笑意，让我深感吃惊与疑惑。

"当然要采取行动，先生，"他心平气和地说，"可是说到相机，就不必找了吧。您看！"

我顺着他点头示意的方向看去。床边的椅子上竟然放着一架完好的康泰时相机，就连相机包都在。

"肯定是，"再次下楼时，我支支吾吾地说了一句，"之前就被我放在椅子上的，我忘了。"

他点点头："或者，也有可能是那个小偷从抽屉里把它拿出来之后忘了放回去。"我隐约觉得他语气中略带嘲讽的意思，也可能是我自己心里觉得内疚的缘故吧。

"不管怎样，"我一本正经地说道，"相机没丢。"

"但愿，"他一脸严肃地说道，"我们能尽快找到其他东西。"

我使出浑身解数，装出一副英雄所见略同的样子。接着，我们就回到了办公室。

"那么，"他问道，"烟盒和表链分别价值多少钱呢？"

我仔细想了一下。"很难估算。我觉得，烟盒大概800法郎，表链大概500法郎吧。两件都是别人送我的礼物。还有那个别针，虽然本身不值什么钱，但是对于我来讲，有着极高的情感价值。还有那胶卷，唉，把它们弄丢了，我肯定会觉得遗憾，不过——"我耸了耸肩。

"我明白您的意思。烟盒和表链都上了保险，对吧？"

"没有。"

他放下笔："先生，您可能会觉得服务员的嫌疑最大。所以，我首先要审问这些人。不过，我一个人去做这件事就够了。眼下，还希望您不要大张旗鼓地把警察叫来，请相信我，我一定能小心谨慎地处理好这个问题。"

"那是当然。"

"还有，先生，这件事不光彩，若您对酒店其他宾客也能做到守口如瓶，我将不胜感激。"

"当然不会说。"

"十分感谢。您也知道，这件烦心事严重损坏了我们这小酒店的名声。审问结果一出来，我会立刻向您汇报。"

接着，我就离开了，总觉得有些局促不安。科赫不让我把这件事透露给其他宾客，从我个人的角度讲，我非常愿意答应他的这一请求。这件事越少人知道越好。这样更合乎我的心意，本该高兴才对。可是，贝金却坚持要把这个消息散布给其他宾客；而且，他还特意做了强调，要求我必须把动静弄大。可是，总要顾及一下那些可怜的服务员吧。总之，目前的状况最令人左右为难。不仅如此，在我看来，这件事做得毫无意义。除非，还有什么我不知道的隐情。烟盒、手表链和间谍能有什么关系？这完全超出了我的理解范围。难道贝金想借这次盗窃假象为由，抓捕那个间谍？太可笑了！证据从哪里来？想都不用想，我那两卷胶卷现在肯定已经被冲洗出来扔掉了。还有，烟盒和手表链之类的东西，根本就不存在。要想解决这些问题，只有一个办法管用。那就是，先找出谁是间谍，趁我相机还在他手里，赶紧抓个现行。对了，我的相机！可是……

我一口气爬完最后几级楼梯，冲进房间。片刻过后，经过确认，我担心的事终究还是发生了。这就是我那架相机。可以拿来定罪的证据居然被客客气气地还了回来。

后来，我怀着沉重的心情准备换泳装出门。当然了，我可以跟贝金撒个谎。就说相机是在我毫不知情的情况下被人换掉的。我可以假装一无所知。或者，可以暗示贝金说，相机是有人擅闯房间时被偷走的。毕竟，一天之中，我也不能隔几小时就去查看一下相机上的编号。只要我行事谨慎，贝金就不会知道其实早在18个小时前，两架相机就都不在我手里了。除非他抓住了那个间谍。但若如此，问题又来了。苦于缺少证据，贝金还得再把那个人放了。用撬开的行李箱和被偷的表链作为诱饵让间谍现形？这种可能倒也不是没有。罢了，这都是贝金的事。整件事中，我只是个小卒，是一只被困在齿轮里的飞虫。一股扯不断的自怜情绪涌上我心头。我脚踩着衬衫，看着镜子里的自己。可怜的傻瓜！腿瘦得跟跟麻秆儿一样！我换好了衣服，从楼上下来，正好看见席姆勒跟着科赫进了办公室，紧接着，办公室的门就被关上了。席姆勒！我突然觉得心里空落落的。原来是因为另一件事。本来，我今天打算去搜一下席姆勒房间的。

此时，弗格夫妇正跟法国情侣一起在沙滩上。那对美国兄妹去水里玩了。于是，我便朝杜克洛先生那里走了过去，在他旁边拉了把椅子坐下。我们简单地客套了几句。随即，我开始切入正题。

"先生，我看您是最懂人情世故的。我现在遇到一件比较敏感的事，还请您提些建议，我将感激不尽。"

听了这话，他脸上掠过一丝喜不自禁的神情。紧接着，他庄重地捋着胡子说："我的这些心得，尽管不周全，但随时都可以供您借鉴，先生。"说着，他调皮地转了下眼珠，"那么，您是不是想听听有关那位美国小姐的建议？"

"您指的是什么？"

他古灵精怪地笑了笑："您不用不好意思，我的朋友。照我说，光凭您看那位小姐的眼神就能说明一切。只不过哥哥和妹妹总是形影不离，嗯？相信我，先生，在这种事情上，我多多少少还是能看出些端倪的。"

接着，他压低声音，把头靠到我这边来。"我早就注意到了，那位小姐也在留意您。"他又降了几分音调，紧贴着我的耳根说道，"尤其喜欢看您换上泳装。"他咯咯地笑着，连胡子都跟着一颠一颠。

我一本正经地看着他："我要说的这件事跟斯凯尔顿小姐没有关系。"

"没有？"他看上去有些失望。"真遗憾。"他小声嘟囔道。

"我更担心的是另一件事，有人从我房间里偷走了几件值钱的东西。"

听了这话，他吓得一哆嗦，连夹鼻眼镜都掉了下来。还好被他一把接住，重新放回鼻梁上。

"盗窃？"

"正是。今早，我正在村子里，上了锁的行李箱就被人撬开了，还丢了一个烟盒、一条金质表链、一枚钻石别针，还有两卷胶卷。算起来，这些东西价值超过2000法郎。"

"太可怕了！"

"我心里可难过了。我对那枚别针可是很有感情的。"

"真是糟糕！"

"这事太令人气愤了。我已经向科赫投诉了，他现在正在询问那些服务员。可是——还有一件事，先生，我应该咨询一下您的意见——我觉得科赫先生处理此事的方式有些不妥。他似乎并没有意识到这种盗窃行为的严重性。您觉得，我去报警怎么样？"

"报警？"杜克洛先生激动得浑身一颤，"为什么不可以？当然可以！这件事毫无疑问，应该交给警方处理。如果您愿意，我可以亲自跟您去一趟警察局。"

"不过，"我赶紧说道，"科赫觉得，不应该让警方搅到这件事中来。他要先询问一下服务员。或许，最好再等一等，看看询问结果再说。"

"嗯，也对。或许这样更好。"不过显然，他不想轻易放弃报警的念头，"可是……"

"感谢您，先生，"我平心静气地说道，"感谢您的建议。这坚定了我在这件事情上的想法。"这时，他的眼神早就飘向了弗格夫妇和法国情侣那边，"当然，您要知道，这件事我是私下里跟您聊的。目前看来，必须保密。"

他点点头，一副自命不凡的样子。"那是当然，先生。我是个生意人，您也了解我的为人，一切都听您的。您绝对可以相信我。"他停顿了一下，随后又拉了一下我的外衣袖子，"您有怀疑的对象吗？"

"没有。怀疑人这种事，是很危险的。"

"话是这么说，可是——"他压低声音，又一次贴着我的耳根说道，"您怀疑过那位英国少校吗？那个人可是个暴力分子！他靠什么维持生计？什么都没有。他已经在这里待了3个月。我再告诉您一件事。今天早上早饭过后，他到下面露台上找我，求我借他2000法郎。那个人，现在急需钱。他还说要付给我每月5分的利息。"

"您拒绝了？"

"当场就拒绝了。我当时很生气。他说他要去阿尔及尔，需要钱。他去阿尔及尔，凭什么跟我借钱？他可以像其他人那样工作赚钱嘛。还说了些关于他太太的事，我没听懂。他的法语太差劲了，而且脑筋也有些不正常。"

"您觉得是他进我房间偷的东西？"

杜克洛先生一边会心地笑了笑，一边抬起手来表示否认。"噢，没有，先生，我可没那么说。只是猜测。"看他的样子，像是在与我磋商一件棘手的法律案件一样，"我只是陈述一种事实，那个人没有职业，又需要钱，急切地需要钱。要是不着急用钱，谁会提出每月5分利息的条件呢。他好像跟我说，本来会有一笔钱，却没能拿到。我这可不是在揭发他，只是给您提个醒。"

这时，美国兄妹已经上了岸。我站起身来。

"多谢，先生。我会认真考虑您的建议。当然了，在这期间，我们也一定要保密。或许，晚些时候，我们可以再进一步谈谈这件事。"

"等，"他与我达成了共识，"等初步审问结果出来再说吧。"

"正是。"说完，我鞠了个躬。

正当我去沙滩那边找斯凯尔顿兄妹时，这位老兄已经跟法国情侣和弗格夫妇聊得火热了。至于他们在聊什么话题，连猜都不用猜了吧。杜克洛先生绝对能超额完成贝金留给我的任务。

斯凯尔顿正踩在酒店的毛巾上弄干身体，看来他违反了酒店卧室里的成文规定。

"哇噢！"他欢呼道，"有人带消息来了！"

妹妹在遮阳伞下给我腾了个地方："过来坐，瓦达西先生。别再去烦人家科赫经理了。我们想知道到底是怎么回事——全部经过。"

我坐了下来："刚才不得已仓促地离开，真是抱歉！不过，确实发生了点儿烦心事。"

"什么，又有事发生？"

"恐怕是的。今天早上，我去村子里的时候，有人撬开我的行李箱，偷走了里面的几件东西。"

斯凯尔顿的两条腿像不听使唤了一般，他瘫坐在我旁边："哎呀！真是烦心事。丢了什么值钱的东西吗？"

我又跟他重复了一遍。

"这是什么时候的事？"女孩说道。

"在我去村子里的时候。大约在9点10分吧。"

"可是，9点30分的时候我还见您跟少校聊天来着。"

"是的，不过我是在9点离开房间的。"

斯凯尔顿一脸神秘地朝我这边靠过来："老实说，您是不是怀疑在少校跟您交谈的时候，他妻子去您那儿偷了东西，嗯？"

"闭嘴，沃伦。这可不是开玩笑。有可能是哪个服务员干的。"

斯凯尔顿不耐烦地哼了一声："为什么不可以这样怀疑？真是受够你们了。无论什么时候，只要丢了东西，就去怪人家服务员、邮递员，或者那些无力推卸责任的人。要真想追究，那今早瑞士老爹在走廊里蹑手蹑脚的举动要怎么解释？"

"那又不是在瓦达西先生房间那一侧。您房间号是多少，瓦达西先生？"

"6号。"

她一边说，一边往胳膊上擦防晒油："原来您住在那间！在酒店的另一侧，和我的房间就隔了一间房，那间房应该是科赫先生朋友的。"

我抓了一把沙子，让它从我的指间流走。"那是几号房间？"我随口问了一句。

"我觉得，应该是14号。不过，瑞士老爹没有蹑手蹑脚。他在走廊里丢了张5法郎的纸币。"

"科赫怎么说，瓦达西先生？"

"恐怕，他怀疑的对象是服务员。"

"那是自然，"女孩振振有词地说道，"对于这种事，沃伦的态度太过较真。我们也知道，客观来讲，干这种事的可能是一个有钱、吝啬、有偷盗癖的人。但实际上，更有可能是一个工资少得可怜的年轻女服务员，想给村子里的男朋友送只烟盒做礼物。"

"那么，金表链、钻石别针和两卷胶卷是怎么回事？"哥哥不服气地反问道。

"可能这个服务员太缺钱了呗。"

"或者，也有可能是老杜克洛，还有那个少校。对了，会不会是那个少校，瓦达西先生？"

我决意不再把少校那段往事说出来供他们嚼舌："他只是想就昨天沙滩上发生的打架事件跟大家道个歉。从帆船上下来的那个人是他的小舅子。他俩曾经因为一些钱的事闹过不愉快。如今，他那个小舅子又提起此事，少校这才发了火。他解释说，他太太当时心烦意乱，不是有意说他是疯子的。"

"就这些？他为什么告诉您这些？"

"我猜，因为这整件事让他很没面子。我当时不在场，所以才去找我聊。"我不打算告诉他们，其实他还去了杜克洛先生那里，虽然没有道歉的环节，但同样提出了借钱的请求，"总之，少校和他太太就要离开了，而且……"

"就是说，沃伦，"女孩接过话茬，"我们管好自己的事，不要像两个爱管闲事的孩子。对吗，瓦达西先生？"

事实的确如此，不过我没好意思说，脸又一下子涨得通红。我本想辩解几句，可就在这时，沃伦·斯凯尔顿打断了我："我闻到了饮料的味道！走吧，瓦达西先生，今天我们请客。您现在游不了泳了，午餐时间就要到了。"

说着，他去取饮料，女孩跟我一同来到下面露台上的餐桌区。

"您千万别把沃伦的话当回事，"她笑着说道，"他就是个孩子。这是他第一次出国旅行，而且他刚刚大学毕业。"

"那么，你们之前都去过哪里呢？"

她沉默了一阵子，我还以为她没听见我的话。女孩似乎想说些重要的事情，却欲言又止。后来，我见她轻轻地耸了耸肩。"没有，我们之前哪儿也没去过。"等我坐下来，她冲我一笑，"沃伦说，您有点儿神秘。"

"他是这么说的？"

"他说，您像是那种深藏不露的人。他还说，一个人居然精通多种语言，肯定不简单。我猜，他肯定希望最后解开谜底时，发现您是间谍，或者类似那样的人。"

听了这话，我的脸又是一阵通红："间谍？"

"我都告诉过您了，别把他的话当回事。"她又朝我笑了笑。她坐在我对面，睿智而有趣的眼神正好与我的眼神相遇。刹那间，我好想跟她坦露实情，告诉她我确实有事隐瞒，博得她的同情与帮助。于是，我隔着桌子探过身去。

"我想……"我开了口。不过，我没有接着讲我想干什么，现在想想，我也忘了当时要说什么，因为就在那个时候，她哥哥回来了，端着一盘子饮料。后来想想，幸好他及时回来了。

"露台上的服务员们太忙了，"他说道，"我就自己端回来了。"他举起自己那杯饮料，"来，瓦达西先生，让我们举杯，希望那个女服务员的男朋友不喜欢您的烟盒！"

"还有，"女孩一脸严肃地补充道，"那两卷胶卷。可不能把它们忘了。"

12

最后通牒

午饭我没有什么胃口。

原因有两点。其一，我的头又开始疼起来；其二，服务员上汤时顺便捎来了科赫的口信：午饭过后，瓦达西先生若能抽空去一趟经理办公室，经理将不胜感激。好，瓦达西先生一定会抽空过去。可是，这种情况让我有些不知所措。假如科赫断定是某个"工资少得可怜的年轻女服务员"行窃，那我该怎么办？傻瓜贝金并没料到会出现这种紧急状况。那个可怜的姑娘一定会否认这项指控。到时候我要怎样应对？难道袖手旁观，眼睁睁看一个无辜的人被那个一心想要献殷勤的科赫威胁，就因为一场根本就没发生过的盗窃案被定罪为盗贼？真是糟透了。

不过，事已至此，也没必要担心。最终会还女服务员一个清白。

正当我要离开露台的时候，杜克洛先生一下子冲到我面前来。

"您决定报警了吗，先生？"

"还没有。我要去看看科赫怎么说。"

他一脸沮丧地捋着胡子："我一直在考虑这件事，先生。每耽误一刻，就对盗贼越有利。"

"的确是这样。可是……"

"作为一个生意人，我建议您立即采取行动。先生，对科赫的态度一定要坚决。"说着，他猛地将胡子往前一推。

"我会非常坚决，先生，我……"

可是，还没等我挪动步子，弗格夫妇就走上前来，跟我握了握手，对我的损失表示同情。很明显，杜克洛先生违背了我们之间的保密约定，不过他倒是一点儿都不觉得忐忑。

"弗格先生和我，我们一致认为，"他说道，"应该让警方涉入。"

"5000法郎，"弗格先生一脸沉重地说道，"可谓损失惨重。毫无疑问是要报警的。鲁先生也跟我们的想法一样。毕竟，还要确保其他宾客的财物安全。敏感的马丁小姐已经开始担心她的珠宝首饰了，还好有鲁先生安抚她。不过，鲁先生告诉我，除非抓住盗贼，否则他就得被迫离开这里。应该有人去给科赫提个醒，对待这种事必须加倍严肃处理。5000法郎！"看来，他又对杜洛克转述的财产损失数额进行了一番更改，"这件事很严重。"

"是啊，没错！"弗格夫人说道。

"说得正是！"杜克洛先生一脸得意地说道，"必须报警。"

"说到，"紧接着，弗格先生小声说道，"您的怀疑对象，瓦达西先生，我们认为您目前不必跟警察讲这些。"

"我的怀疑对象？"我瞥了杜克洛先生一眼。他却故意避开我的目光，佯装扶了扶自己的夹鼻眼镜。

弗格先生则一脸无所谓地笑了笑。"我完全明白。现在凡是涉及——"他快速朝四周看了一下，压低声音说道，"凡是涉及那个英国人的话语，最好都不要讲，是不是？"他给我使了个眼色。"处理这种事情时，必须考虑周全，对不对？"

"是的，是的！"弗格夫人频频应和着。

我嘟囔了几句，跟大家说根本就没有什么怀疑对象，然后就赶紧躲开了。看来，杜克洛先生绝对是一个散播谣言、诋毁他人的家伙。

科赫正在办公室等我。

"嗯，您来了，瓦达西先生，请进。"他从我身后把门关上，"要给您拿把椅子吗？好的。那么，我们就说说正事。"

我又开始演起戏来："先生，我希望您能给我一个满意的答复。这种悬而未决的感觉太糟糕了。"

只见他一脸的凝重。

"先生，恐怕我要告诉您的是，这次审问没有得到任何结果。"

我皱着眉头："真糟糕。"

"很糟糕。很糟糕，的确！"他盯着面前放着的一张纸，食指在上面敲了一两下，之后抬起头看着我，"酒店所有员工都被我盘查了一遍，包括服务员和园丁，原本以为总能有人提供一些有关这件事的线索。"他停了一下。"可说实话，先生，"他轻声说道，"他们都说对盗贼的事一无所知，我觉得他们没跟我撒谎。"

"您的意思是，是哪位宾客干的？"

他沉默了片刻，没有回应。这时，不知为什么，我越发觉得不安起来。紧接着，他慢慢地摇了摇头："不，先生，我并没有怀疑是哪位宾客干的。"

"那么，难道是外面的人？"

"也不是。"

"那么……？"

他身子稍稍向前探过来："先生，我已经决定把这件事交给警方处理。"

事情变得难办了。贝金明确告诉过我，不能报警。

"但是，您肯定不愿这样做。遇到这种事，毕竟不光彩。"

他双唇紧闭。眼前的科赫已然变成了另外一个人，不再那样随和、好脾气，而是一个专业、干练的科赫。刹那间，屋子里的气氛变得极度

136

紧张。

"不幸的是，"他犀利地说道，"已经造成了损失。宾客们都知道了这件事，并就此议论纷纷。不仅如此，其中一位宾客还被其他人视为盗窃嫌疑犯。"

"提起这些，我深感抱歉，我——"

不过，他没有理会我插进来的话："先生，我请求过您，在我将这件事调查清楚之前，请保持沉默。可我发现，您不仅没有保持沉默，反而还用最糟糕的方式跟身边的宾客朋友们大肆宣扬。"

"我只是想私下里跟杜克洛先生讨建议，商量报警的事。如果这件事是杜克洛先生泄露出去的，那么我很抱歉。"

紧接着，他回答了一句，那语气简直就是在嘲讽："那么，还请您说说，杜克洛先生的建议是怎样的？"

"他建议我报警，不过出于之前跟您的约定——"

"如此说来，先生，我们还真想到一处去了。您可要抓住这次机会。"说着，他伸手去够电话，"我现在就跟警方沟通这件事。"

"等一下，科赫先生！"他的手停在电话机上，"我只是复述杜克洛先生的建议。在我看来，没必要报警的。"

接着，他的手从电话机上收了回去，我终于松了一口气。随后，他慢慢把头转过来，死死地盯着我的眼睛。

"我早就猜到您不会报警。"他一脸从容地说道。

"那是因为我坚信，"我尽可能地装出一副友善的样子，"您处理此事的效率要比警方高得多。只要能把那些被盗的东西完好无损地还给我就好，我也不希望自讨没趣。可如果事与愿违，那么我也无能为力。总之，警方的介入只能增添更多的麻烦，反倒帮不上什么忙。"

"我确信，这位先生，"这一次，语气中讽刺的意味已然十分明显，"我确信，警方的介入将对您的计划造成极大的阻碍。"

"我想，我没明白您的意思。"

"不明白吗？"他冷冷地笑道，"我入酒店这行已数年有余，先生。像您这样的人，我早就见识过。说这话，想必您一定不会觉得我无礼。我做事懂得仔细谨慎。当时，您过来跟我报案，说丢了一只烟盒。接着，我试探了您一下，说您报案时描述的是一只金烟盒，当时，您犹豫了一下，随后就说它既是金的又是银的，为自己圆谎。我的朋友，这招也太巧妙了吧。等我进入您的房间，发现行李箱旁边的地上有一片指甲刀的刀片，指甲刀剩下的部分还在床上。您两次看见它们，却什么都没说。为什么？很明显，指甲刀是被拿来撬行李箱的。这些都是很重要的证据，可您却视而不见。您并不把它当成是重要的证据，因为您早就知道行李箱是如何被撬开的。干这件事的人就是您自己。"

"可笑！我——"

"还有，直到我提起相机的时候，您才表现出了真正的在意。当我把椅子上的相机指给您看时，您的情感流露十分真实。很明显，您是害怕真的丢了什么东西。"

"我——"

"在给失物估价时，您又一次失误了。像您描述的那种烟盒至少也要值1500法郎。没错，您说那是别人送的，可即便如此，也不该把价值估低了一半吧？按照常理，丢东西的人都会把价值估得过高才对。"

"我从来没有——"

"只有一件事让我不解，那就是您的动机。通常情况下，丢失物品的宾客往往都会以报警、引起其他宾客恐慌为由，威胁酒店，直到得到酒店的赔偿。众所周知，为应对这种意外事故，酒店专门上了保险。没想到，您转身就跟其他宾客讲了这事，如此看来，您要么不明白其中的套路，要么就是有其他动机。如果您愿意的话，可以跟我说说您的动机到底是什么。"

我早就站起身来。像这样时不时地遭受别人的无端指控,真令人无法忍受。然而,一个人若有错在先,那么在被人揭穿以后,自然会恼羞成怒。所以,当时的我愤怒至极。

"您这是恶意指控,先生。我还从未受过这般侮辱,"一时间,我被气得不知该说些什么,"我……我要……"

"报警吗?"科赫看笑话一样地说道,"电话就在这里。还是,您不想报警?"

我故作威严之态:"我不想拖延这场闹剧。"

"您是明智的。"他向后靠在椅子上,"我早就开始怀疑您了,瓦达西,自从星期四那天您被警察叫去谈了那么长时间的话。法国警察通常不会无缘无故地搜人房间,除非他们对您产生了严重的怀疑。护照这样的借口未免有些不太可信。我知道,您这是在设法避开跟警方接触。我跟您想的一样,不想将目前这种状况拖延下去。所以,我已经准备好了您的账单。不过,请不要误会,我这绝不是在发善心。本来,我个人的想法是直接把您交给警方;或者,至少让您在一小时内离开酒店。可我太太认为,无论哪种处置方式都会进一步引起宾客们的议论。她这个人比我务实得多。所以,我尊重她的决定。明天早上,请您尽早离开储备酒店。至于我会不会报警,就要看接下来这段短暂的时间里您的表现如何了。我希望您能主动告知其他宾客,说您丢东西这件事完全是无中生有,是您自己把东西放错了地方,是您自己不小心用错了钥匙,钥匙折在锁眼里,不得已才把行李箱撬开。我相信,您绝对能编出一个令人信服的理由,说给那些涉世未深的人听。明白了吗?"

我好不容易保持住仅存的那点儿冷静:"完全明白,先生。鉴于您这种无厘头的行为,我无论如何都不想在这里待下去了。"

"很好!这是您的账单。"

我接过账单，核实一下是否有误。如今想来，这种行为着实有些孩子气，不过直至今日，我才有所意识。他静静地等着。没有错误，我的钱刚好够用。他把钱接过去，看他的表情，似乎在对我说，他没想到我会全款付清。

在他打印收款单的时候，我不经意地看了看旁边墙上贴着的一张伊斯特利亚—科苏利希航线时间表。等他把收款单据递给我时，我已经通读了两遍。

"感谢您，先生。很遗憾地说，我不希望再在储备酒店见到您。"

我鞠了个躬。"恐怕，要让您失望了。"我反驳了一句，随即就离开了。

等上楼进了房间，我浑身发起抖来。此外，我发现，凡是储备酒店的东西，包括毛巾、果盘以及其他能被拿走的东西，通通被撤走了，只有床铺例外。目睹此番情景的我，状态没有一丝好转。于是，我把头放在水龙头下冲了冲水，又喝了几口，接着点了一支烟，在窗边的椅子上坐下来。

我开始想那些本该跟科赫和盘托出的实情，那个家伙要是知道我担了这么多了不起且又无法与人言说的重任，看他还敢嘲笑我。过了一会儿，身子终于不再抖了。这一切都是贝金的错，不能怪我。他早该想到，这种小孩子的把戏一定会被拆穿。没错，是我粗心大意，是我办事不力，导致这次任务的失败。可是，干这种事，怎么能指望我像那些老江湖那样轻车熟路呢？我真是满腔的愤怒。贝金有什么权利让我陷入这种卑劣的境地？我要是能像普通公民那样有领事替我维权，看他还敢这样。再者，这件事的意义何在？难道是他故意设圈套害我被揭穿？难道贝金疯狂地想要做某种尝试，就拿我来当试验品？也许，我就是人家的试验品吧。可话说回来，这又有什么关系呢？此刻，问题的关键在于，除非贝金愿意介入，施展他的权威，否则我明早就得离开储备酒店。接下来会怎么样？或许会去警察局的某一间牢房。或许我应该现在就给贝金打电话，解释一下情况……

虽然脑子里闪过这个念头，可是我知道我做不来。其实，我是害怕他，害怕因为这件事（指被科赫揭穿）而遭到他的斥责。最重要的是，我也害怕被带回警察局，再被锁进那间狭小、环境恶劣的牢房里。

我望着窗外。看那海面，就像铺设在阳光下的一片浩瀚无垠的蓝色草场，随风浮动，无限静谧。想必到了那寂静的海底，人们就不会再有恐惧，不会再有疑问，不会再有忐忑了吧？我可以到沙滩上去，潜到水里，游出海湾，到大海里去。我可以游到足够远的地方，胳膊累得再也无法游回到陆地。接着，划水频率越来越慢，越来越累。我就会停下来，任由自己沉下去。水会一下子冲进我的肺里。我可能会挣扎一番，求生的欲望会很强烈——毕竟，生命是那样珍贵！——不过，我会事先做好准备，有去无回，不给自己留任何余地。可能会有那么一两分钟的痛苦挣扎，不过慢慢地就什么都不知道了。接下来呢？会有一则新闻这样写道：昨日，一位名叫约瑟夫·瓦达辛（他们肯定会把我的名字拼错）的南斯拉夫公民在圣加蒂安游泳时不幸遇难，目前尸体还未找到。还会有别的消息吗？不，没有了，就这些。接着，我的尸体会慢慢腐烂掉。

手里的烟早就灭了。我把烟头扔出窗去，回头来到衣柜镜子前，我看着自己。"真的要崩溃了，"我嘟囔着，"不过，还是应该振作起来。自杀也就是分分钟的事，但现在你还在跟自己讲话。振作起来，不要揪着这件事不放。肩膀那么紧绷干什么，又不是参加举重比赛。肌肉对你来讲没什么用。现在需要的是一点点智慧。这件事可能还没有你想得那么糟糕。还有，我的老天，别忘了，现在才将近3点钟。从现在开始到半夜，你得利用这段时间把那个拿康泰时相机的人找出来。就这样。没有那么难办，对不对？无非是到他们的房间去看看。那么，就从这个叫席姆勒的人开始吧。他的嫌疑最大。这个人用的是假姓名。他嘴上称自己是瑞士人，但其实是一个德国人。他看上去有些忧虑，又打通了科赫。一定要时刻提醒自己，科赫或许已经知道了内情。或许这才是他急切地把你赶出去又不报警的真正原因。嗯，有道理，不是吗？不过，你还没被打败。一定要小心，多用点儿脑子。已经露了一次马脚，不能再让这种事情发生。若真是他，那么要想抓住他，脑子就得转得快些。他可是个危险人物。昨晚朝你头上打了一棒子，导致你头疼到现在的人就是他。你已经知道了他的房间号。那女孩告诉你的。14号，就在酒店的另一侧。不过，首先要弄清楚他现在在哪儿。你这回可得小心了！现在就行动起来。"

我转身从镜子前走开。没错，必须行动起来。先得知道席姆勒在哪儿。通常，他都是一个人坐在露台那边。先去那里看看。

接着，我来到休息大厅，一个人都没碰到。我踮起脚往窗外望去。没错，他就在那里，跟往常一样在看书，嘴里叼着烟斗，头稍稍向书那边前倾，一副聚精会神的样子。我观察了他一会儿。头部线条还挺优美。看上去，这个人不太可能是间谍。

不过这次我是铁了心的。行动起来！谁看上去都不像间谍——直到查清了身份才能确定。但无论如何，怎么想是我的自由，也是其他人的自由。席姆勒肯定是个可疑分子。那么，好吧！

我又上了楼。在自己的房门外停留了一会儿。想要拿点儿什么东西吗？武器？荒唐！又不是去打架，就是悄悄地去房间查看一下，仅此而已。我的心开始狂跳不止，我经过自己的房间继续沿着走廊往前走。这时，新一波恐惧感袭来。如果碰见别人怎么办？斯凯尔顿兄妹，或者是弗格夫妇！我站在这里，该怎么跟人解释？我是不是该假装做些什么？接着，我经过了一扇门，上面写着"浴室"。必要的话，我可以进去，假装要洗澡。不过，我谁都没碰见。没过多久，我就来到了14号房间的门口。

想和做之间有一道巨大的鸿沟，要想逾越，往往需要经历一个极为艰难的过程。搜查别人的房间，想起来容易——站在镜子前时，我是无所畏惧的——可现在，到了动真格的时候，真要往人家房间进就不那么容易了。看来，人类文明的进化程度要远远超出常规的想象。其实，之所以很难迈出这一步，不只是因为担心被人发现，更是因为这种行为极大地违背了我向来尊重他人隐私的做人准则。眼前是陌生的门，陌生的门把手，过了这道门，就是别人生活的地方。打开这扇门，就像一个间谍私闯情侣房间一样不可饶恕。

我站在原地待了一两秒钟，把负罪感往下压一压，与此同时，又给自己找了各种各样合理的退缩理由。也许玛丽·斯凯尔顿弄错了，也许不是这一间。午饭过后没多久，应该再等一会儿，等席姆勒待稳了再说。这就是在浪费时间，他恐怕早就把相机藏了起来。门可能是上了锁的，开门时可能会有人过来。可能会有人……

看来，要想解决这些问题，只有一个办法了。我干脆大大方方地进去。如果屋子里有人，或者有人看见我，我就说走错了。斯凯尔顿先生早就跟我约好了，准备妥当之后，就去找他游泳。走错房间了？对不起。接着，我就退出来。除非看见我的是斯凯尔顿兄妹。不过，若是在这里站太久，想不被人看见都难。于是，我深吸一口气，敲了几下门，随即抓住门把手一转。门没锁。我依然站在门槛处，伸手一推，门就敞开了。屋子里没有人。我停顿了片刻，随后进了屋，把身后的门关上。大功告成。

我扫视了一下四周。这间房比我那间要小，从外屋望过去，能看见厨房。窗边是郁郁葱葱的柏树丛，遮挡了不少光线。寻找席姆勒的行李箱时，我尽量远离窗口。没过多久，我就发现屋子里根本就没有行李箱。也许他把行李箱里的东西挪到了抽屉里，然后又把行李箱送去了储藏室。于是，我又去查看了抽屉。下面几层抽屉都是空的，只有最上面一层放着一件洗得干干净净的白衬衫、一条灰色的领带、一把小梳子、一双脚后跟露着大洞的袜子、一套干净而皱巴巴的内衣，还有一包肥皂片和一听法国烟草。没有相机。我看了看领带上的商标。商标上印着柏林生产商的名字和地址。内衣的原产地是捷克斯洛伐克。衬衣是法国的。我又去洗手盆那边看了看。刮胡刀、剃须皂、牙刷、牙膏，都是法国的。接着，我又转向衣橱。

里面又宽又深，铜质横杆上挂着一排衣架，此外还有一个鞋架。衣橱里挂着一套西装和一件黑色雨衣。再没有别的了。西装是深灰色的，胳膊肘处已经被磨破了。雨衣靠近最下面的地方被剐了一条三角形的口子。

嗯，从刚才抽屉里的东西来看，这应该就是海因伯格先生的衣橱。太奇怪了！如果那人住得起储备酒店，衣服难道不应该比这更多吗？

不过，这不是重点，我是来找相机的。于是，我又摸了摸床垫下面，结果不仅一无所获，反而被一个突出来的弹簧头剐伤了手。整间屋子的气氛一下子令我紧张起来。本来想找的东西没能找到。该离开了。不过，我还想做一件事。

于是，我回到衣橱那里，把那套西装拿下来，翻了翻口袋。前两个口袋是空的，可当我的手指偶然碰到胸部口袋的时候，感觉像是有一本薄纸封皮的本子。我把它抽出来。不是一本本子，是两本，两本都是护照——一本是德国身份，一本是捷克身份。

我先查看了一下那本德国身份的护照。下发时间是1931年，名字是埃米尔·席姆勒，记者，生于1899年，出生地是德国埃森市。这太令人吃惊了。我还以为席姆勒已经40岁以上了。紧接着，我又翻到签证那几页。绝大多数都是空白的。不过，倒是有两张1931年法国的签证，还有一组1932年的苏联签证。他在苏联待了2个月。此外，还有去年12月的一张瑞士签证以及同年5月的一张法国签证。之后，我又翻开那本捷克护照。

里面确确实实是席姆勒的照片，不过印上去的名字是保罗·西撒，身份是商务代表，出生于1895年，出生地是布尔诺。下发日期是1934年8月10日。里面有很多德国和捷克的签证印章。看来，在那段时间里，西撒先生频繁地乘坐柏林—布拉格的航班。经过一番周折之后，我找到了日期最近的那张印章。是今年1月20日的——大概是在7个月前。

或许，我太过专注于这些重大发现了，以至于脚步声到了门口才听见。可即便我早听到了脚步声，也可能会迟疑该不该再多搜寻点儿线索。事实证明，我只有把护照塞回口袋，再把西装放回衣橱的时间，随即门把手就转动了一下。

在接下来的几秒钟里，我的大脑和身体像是麻木了一样。我呆呆地站在那里，盯着门把手。那一刻，我真想大喊一声，或者藏到衣橱里，或者从窗户跳出去，或者爬到床底下。可是，我什么都没做。只是目瞪口呆地待在原地。

紧接着，门开了，席姆勒走了进来。

13

到底是……还是……

刚开始，他没有注意到我。

他从门厅过去，把手里的书扔到床上，转身往抽屉那边走去。

随后，我们四目相对。

他先是一惊。不过接下来，他慢条斯理地走到抽屉那边，拿出了那听烟草。随后，他开始往烟斗里塞烟草。

我们俩都默不作声，气氛尴尬得简直令人无法忍受。我的胸口像是被重物压着一般，喘不过气来。血一下子冲到脑门。有趣的是，我见他不慌不忙地用手指把烟草压进烟斗里。

终于，他开口说话了，语调非常平静，甚至可以说是轻松。

"恐怕，你没在这里发现什么值钱的东西吧？"

"我没有——"我的嗓子开始变得沙哑。这时，他抬起手里的烟斗，示意我不要讲话。

"省省吧，别跟我狡辩了。相信我，我是同情你的。干你们这行的，必须冒些风险。不过，冒了险之后却什么都没得到，你心里一定不好受吧？尤其是，"他一边点烟，一边又说了句，"你要冒着入狱的风险。"他呼出一团烟来。"现在，你是想让我把经理叫到这里来，还是去他办公室？"

"我不想去见经理。我什么都没拿。"

"我知道。那是因为根本就没什么值得拿的。不过，我必须提醒你，你进了我的房间，而且是擅闯。"

这时，我那原本涣散的机智逐渐恢复过来。

"事实上——"我又准备开口，可还没等我说下去，他就把我打断了。

"噢！正等你这句话呢。我发现，如果一个人说话以'事实上'开头，那么接下来的陈述往往都是在撒谎。不过，请继续。你指的事实是什么？"

我气得满脸通红。

"事实上，今天早些时候，我行李箱里有几件值钱的东西丢了。我怀疑是您偷的。科赫并没有严肃处理这件事，所以我决定自己来查看一番。"

他冷笑一声。"噢，我看出来了。所谓，进攻是最好的防守。我威胁你，你也反过来威胁我。不过，你运气不佳，我刚跟科赫先生聊过你投诉的问题。"他一脸庄重地停顿了一下，"据我所知，你已经结了账。"

"我确实是要离开，但也要据理力争一番。"

"那么，这就是你据理力争的方式？"

"随便您怎么说吧。不过，我意识到是我弄错了。您不是那个贼。所以，只能对我这种自作主张的行为向您深表歉意。"接着，我挪步准备朝门口走去。

他稍微一个动作，来到跟前挡住了我的去路。

"恐怕，"他一脸严肃地说道，"这样的道歉没有用。事已至此，我觉得我们还是先待在这里，等我把科赫叫过来。"于是，他过去按了下按铃。我的心顿时一沉。

"我什么都没拿，也没造成什么破坏。您不能无缘无故指控我。"我抬高声调说道。

"我亲爱的瓦达西先生，"他有些厌烦地说道，"连警察局都知道你这号人物。这一点就足以说明问题。如果你觉得狡辩很有意思，那随便吧。不过，还是省省，等到了警察局再说吧。你来这儿就是为了偷东西。到了警察面前，你想怎么解释都行。"

当时的我简直绝望透顶。我疯狂地思索着解围的办法。如果此刻科赫真的来了，用不了半小时，我就得被送到警察局去。只有最后一招了，就这么办。

"那么，该由谁，"我厉声说道，"来提出控诉呢？是柏林的海因伯格先生、埃米尔·席姆勒先生，还是布尔诺的保罗·西撒先生？"

说完这句话，我料想到他会有所反应，可没想到会如此激烈，把我吓了一大跳。只见他慢慢转过身，面对着我。凹陷的双颊变得煞白，原本嘲讽的眼神瞬间变成了冷漠的憎恶。他朝我走来。我不由自主地向后退了一步。接着，他停下了。

"这么说，你根本就不是酒店的小偷。"

他的语音很轻，像是带着疑惑，不过那噬人般的意味实在吓人。

"我早就说过，我不是贼。"我理直气壮地说道。

他突然向前蹿了一步，一把抓住我的衬衫，将我拽到他近前，两张脸近到只有几厘米。我害怕极了，忘了反抗。紧接着，他一边说，一边抓住我前后慢慢地摇晃。

"嗯，不是贼，也不是什么老实家伙，倒像是一个不起眼的、卑贱的间谍。当然了，也是一个狡猾的间谍。"他轻蔑地撇了撇嘴，"对外，你是一个羞怯、见解独到的外语教师，仪表堂堂，还有匈牙利人那哀伤的眼神，简直连画家都会被你蒙骗。瓦达西，或者，随便叫什么名字吧，你干这行多长时间了？你是他们专门为此事挑选出来的，还是从酷刑监狱里刑满释放出来的？"说着，他猛地一推，我整个人跟踉踉跄跄地靠到了墙上。

他握起拳头正要再次朝我走过来，这时候，有人敲门。

我们默不作声地相视了一下，紧接着，他直起腰，走到门口，把门打开。原来是一名服务员。

"是您按的按铃吗，先生？"我听那人说道。

席姆勒好像在犹豫。紧接着，他说道：

"不好意思，是我不小心碰到了按铃。您可以走了。"

他关上门，然后靠在门上看着我："你还真幸运，我的朋友，被打断得正是时候。我有好多年没像刚才那样大发脾气了。刚刚真想杀了你。"

我竭尽全力不让声音发抖："那么现在，您控制住了情绪，或许我们可以讲讲道理了。刚才您说过，进攻是最好的防守。那么，您难道不觉得，您刚才说我是间谍，用的就是这种幼稚的招数吗？"

他没有吭声。我逐渐冷静下来。看来，问题比我想象的要容易得多。现在主要是弄清楚他把相机怎么样了。在这之后，我再把服务员叫回来，让他给贝金打电话。

"如果，"我继续说，"您能意识到这件事给我造成了多大麻烦，您就会了解同情是远远不够的。您昨晚朝我头上打的那一下，我现在还头痛呢。如果那两卷胶卷您还没有销毁，那么趁警察赶来之前，我希望您主动交出来。要知道，等这件事彻底解决了，他们才会放我回巴黎。那么，既然这件事已经明了，还希望您多多体谅我。顺便问一句，您把那架相机怎么样了？"

他一脸犹疑地皱着眉头看着我。"这难道是什么圈套？"他开口说了一句，又停顿了一下。"我完全听不懂您在说什么。"他最后说了一句。

我耸了耸肩："您此刻的表现太愚蠢了。听说过一个名叫贝金的人吗？"

他摇摇头。

"那你很快就会认识了。他是土伦海军情报局下设安全总局的一名长官。您想起了什么没有？"

他慢慢地走到屋子中央。我做好了防御的准备，利用眼角的余光找到了按钮。就在几步远的地方，我应该能够到。等他一动，我就冲过去按下按钮。可是，他却站在那里纹丝不动。

"我有个疑虑，瓦达西，我觉得我们把话题扯远了。"

我笑了笑："我可不这么认为。"

"是吗？恐怕我还是不能明白您的意思。"

我不耐烦地叹了口气："现在抵赖还有用吗？请您知趣一点儿。您到底把相机怎样了？"

"这难道是什么拙劣的把戏吗？"

"不，您很快就知道了。"说完这话，我感觉自己无法处理好眼前的情况，便有些不耐烦起来，"我觉得还是报警吧。您反对吗？"

"反对你报警吗？当然不会。务必报警。"

他或许是在虚张声势，不过我隐隐地觉得有些不安。没有相机作为证据，谁也帮不了我。我决定换一招。我使劲盯着他看了一两秒钟，随即无奈地一笑。"知道吗？"我不好意思地说道，"我有一种不祥的预感，我好像犯了一个非常愚蠢的错误。"

他警惕地看着我的眼睛："我敢肯定，你的预感没有错。"

我叹了口气："嗯，很抱歉，给您带来诸多不便。我真是愚蠢至极。要是让杜克洛先生知道了这件事，他肯定欣喜若狂。"

"谁？"他问道，气势咄咄逼人。

"杜克洛先生。他是个有趣的老头，有点儿健谈。不过，老实讲，他还是挺有同情心的。"

他克制了一下自己的情绪。紧接着，他来到我近前，语气异常冷静："你到底是谁，你想要干什么？你是警察派来的？"

　　"我跟警察扯上点儿关系——"我想，这种说法最为简洁明了，"您知道我的名字。我只是想从您那里得到些答案。请问，您把那架相机怎么样了？"

　　"如果我依旧回答你，我完全不知道你在说什么，结果会怎样？"

　　"那我就只好把您交给警方去审问了。还有，"我认真地看着他，"关于那件事——您的真名不叫海因伯格，您似乎在极力地隐瞒，而我会将这件事公之于众。"

　　"警方早就知道。"

　　"我知道。坦白讲，我实在信不过当地警方所掌握的情报。现在，您总该明白我在说什么了吧？"

　　"说实话，还是不知道。"

　　我笑了笑，从他身边走过，准备去门口。他一把抓住我的胳膊，将我拉回来。

　　"听着，你这个傻瓜，"他粗鲁地说道，"我向你保证，我根本就不知道什么——"他停住了，心里好像突然有了主意。"坐下，瓦达西。"他心平气和地说道。

　　"可是——"

　　"坐下。就坐在那把椅子上。"

　　于是，我坐了下来。

　　"现在，请听好。我虽不知道你这个人到底怎么回事，不过你似乎对我有些看法。至于什么看法，暂且不论，只是你好像把我一心隐瞒身份这件事当成了一种证据，以此来证明你的想法是正确的。是这样吗？"

　　"差不多。"

"那么，好吧。我为什么用海因伯格这个名字，其中的因由与你无关。科赫先生清楚这件事。警方那里有我的真实姓名。而你，在完全不了解内情的情况下，故意威胁我，非要从我这里得到一些子虚乌有的答案，否则就把这件事抖出来。差不多是这个意思吧？"

"差不多。当然了，前提条件是，您确实对此事不知情。"

他没有理会我最后这句话，只是在床边坐了下来："我不知道你是怎么发现的。我猜，可能是当地警方告诉你的，也可能是你自己从衣橱的护照里发现的。但不管怎样，我绝不能让这件事传出去。听好，我现在跟你讲的都是实话！我必须阻止你。阻止你的唯一办法就是跟你讲清楚这件事的因由。其实也没有什么奇怪的。遇到这种情况的人肯定不止我一个。"

接着，他停顿片刻，把烟斗点着。隔着烟斗，我们四目相对。我见他眼睛里再次出现了嘲讽的神情："瓦达西，好像我说什么你都不会相信。"

"我可不这么觉得。"我立马反驳道。

他把火柴吹灭："好，那就试一试。不过，有一件事，请你一定要清楚，我现在是绝对信任你的。当然了，此时此刻，除了信任你，我别无选择。我又没办法说服你相信我。"

说完这番话后，他停顿了一下，似乎是在等我发问。有那么一瞬间，我居然胆怯了。不过，只那么一瞬间而已。

"我不会相信任何人。"我随口说了句。

他叹了口气："好吧，既然你坚持要这样。不过，这可是一个很长的故事。要从1933年说起……"

"当时，我是柏林一家社会民主党报纸《电讯报》的编辑。"他耸了耸肩，"现在已经没有这份报纸了。当时，报纸的质量还不赖。

我手下有几个干练的记者。报纸归东普鲁士一家锯木厂厂主所有。他人很好，热衷于改革，对19世纪的英国自由主义者有着深深的敬仰之情，比如，像戈德温和约翰·斯图尔特·米尔那样的人。斯特莱斯曼去世的时候，他会举哀追悼。有时，他会发给我一些头条新闻，有关于论述人类手足之情的文章，还有以基督教教义为依据，主张劳资双方有必要用合作代替斗争的文章。必须承认，他跟手下员工的关系是最为融洽的。不过，现在想想，当时他那些工厂的运营都是亏损的。紧接着，1933年就来了。

"在第一批被关停的报社中就有《电讯报》这一家。我们遭遇过两次袭击。第二次袭击过后，机房被手榴弹炸毁。即便如此，我们还是侥幸活了下来。后来，我们也算幸运，找到了一家印刷厂商，他有能力并且愿意为我们这份报纸做印刷。可是，3个星期之后，他就不再为我们印报纸了。原来，警方已经找过他。同一天，我们收到了老板的电报，说生意亏损，无奈之下，只好把这份报纸卖了。新老板是一个纳粹官员，我碰巧得知，他是用一张底特律银行的汇票支付的买金。第二天晚上，我就在家里被人逮捕了，关进了监狱。

"他们把我关了3个月。我没有被起诉。他们甚至都没有提审我。我得到的消息就是，我这件案子还在提审当中。头一个月，也是最难熬的时候，我逐渐适应了那里的环境。那些警察还不算坏。其中一位甚至还跟我说，他曾经读过我的文章。可是，3个月即将过去的时候，我被转移到了汉诺威附近的集中营。"

他停顿了片刻。

"我敢说，您一定听说过很多关于集中营的事吧？"他继续说道，"绝大多数人都听说过，不过，他们对集中营的印象大都是有误的。听说了一些事情之后，人们就开始想象，说狱警整日里都用橡胶警棍撬犯人的牙，踢他们的肚子，用枪把砸犯人的手指。其实不然，至少我待的集中营不是这样。如果您见过在漆黑的牢房里被单独监禁了14天的人，您就理解我这话的意思了。理论上来讲，集中营的日子再难过，也不会比其他监狱艰难到哪里去——可这是理论上。但在我看来，没有人会这么觉得。他们的套路很有意思。他们会让你干活——把一堆石头从一个地方搬到另一个地方，然后再搬回来——只要一停下来，哪怕是稍微直一直腰——他们都会以抗命为由抽你一鞭子，再关一星期禁闭。他们从不会有片刻的松懈。警卫不断换班，好保证能够一直有人看守。犯人在营地里放风时，他们会拿着机枪以示警戒。我们吃的是用水煮过的动物内脏和烂菜，吃这些烂东西的时候旁边还有警卫拿机枪看守。有一个人，他很怕枪，吃饭的时候，只要一看到枪就开始吐。我在那里的时候，目睹两个人被送进了医院。他们都因为劳累过度而虚弱得熬不住了。刚到那里时，总是会有抵触情绪。不过，他们早就准备好了应对措施。他们会用一连串的手段摧毁你的意志。定期的鞭刑以及长时间的单独监禁，很快就能奏效。只要你发觉维持清醒的意志有些吃力，那么接下来，你就会发现，自己的精神在逐渐变得涣散。我这个人，多少懂些战略。于是，我假装屈服。这并不容易。要知道，他们能从你的眼神中辨别出来。如果他们发现你在看他们，或者，被他们发现你的神志依旧如常人般清醒，不像野兽那样茫然，那么，你就完了。犯人的两只眼睛只能看着地面，永远都不可以去看周围的警卫。逐渐地，我成了这方面的高手，技术甚至精湛到连我自己都相信了，相信自己的精神状况跟其余那些人差不多。我在那座集中营里待了两年。"

他的烟斗灭了。接着，他若有所思地用手掌轻轻拍了拍烟锅。

"有一天，我被带到营长办公室。他们跟我说，只要我愿意签署一份声明，放弃德国公民的身份，说我本人自愿离开德国，永不返还，如此，我就可以获得释放。刚开始，我还以为这又是他们想出来的阴招，拿来试探我。可实际上，这不是什么阴招。就连被他们视若至尊的法院都没能找到指控我的证据。我在声明上签了字。只要能离开那里，让我签什么都可以。接着，我等获释许可等了3天。那段时间里，他们把我和其他犯人分开关押。从那以后我不再同他们一起劳作，而是去清扫厕所。不过到了晚上，我们还是会睡在同一间宿舍。后来，发生了一件奇怪的事。

"犯人之间是不可以讲话的，警卫蛮横无理，犯人只能低头看地面，犯人与犯人之间是这样，犯人和警卫之间亦如此。要是你看一眼其他犯人，警卫就会以为你想跟别人说话。到后来，你能认识旁边人的肩膀和脚形，却不认得他的脸。那是我在集中营的最后一晚，正当警卫押解我们回宿舍的时候，我发现旁边的那个人在努力地吸引我注意，把我吓了一跳。他大概40岁的样子，灰白的脸，身材魁梧。他刚到那里不过6个月的时间，而且警卫时常单独对他施以鞭刑。当时，我们身边就有一个警卫。说实话，我真害怕他们会以此为借口，不给我发获释许可。所以，我一进寝室就赶紧钻进毯子里，躺下一动不动。

"在那里，犯人夜里做噩梦是再常见不过的了。有时，他们只是在睡梦中小声嘀咕几句，有时会大喊、尖叫。要是惊动了警卫，他们就拎来一桶水，一下子泼到那犯人身上。虽然我在那里从来没睡过一个好觉，但那一晚，我是彻夜未眠。一直在想第二天离开的事。黑暗中，我静静地躺着，只听旁边那人开始在睡梦中喃喃自语。一名警卫来他这边巡查，喃喃声停止了。等警卫一离开，呓语就又开始了，不过这次，声音比刚才大了些，我能听见他在说什么。他在问我是不是醒着。

"于是，我小声咳嗽了一下，不安地翻了个身，还叹了口气，好让他知道我还醒着。接着，他就又开始嘟囔起来，我听了听，他是在告诉我布拉格的一处地址。他只有一次说话的机会，因为警卫再次朝他这边走过来，显然是起了疑心。这人突然翻了个身，疯狂地挥舞着手臂，大喊救命。警卫上来踢了他一脚，他假装被惊醒，紧接着，警卫威胁他说，要是再不安静些，就立即赏他一桶凉水。后来，他就再也不说话了。第二天，我拿到了获释许可，被送上了前往比利时的火车。

"重获自由是什么样的感觉，其实我不想跟您讲。刚开始，我处于一种焦虑的状态。鼻孔里总是充斥着集中营里的味道，白天，我总是在奇怪的时间段睡觉，梦见自己又回到了集中营。后来，我逐渐恢复了正常人的生活，又能像正常人一样思考了。我在巴黎待了一两个月，给当地报社做些杂碎的活儿，可是，法语太难了，导致我几乎无法正常工作，还得花钱雇人来翻译东西。后来，我决定去布拉格试试。那个时候，我并没打算去那人呓语中告诉我的那个地方。说实话，我几乎都忘了。直到后来，我在布拉格遇到了另一个德国人，这才决定去探个究竟。结果我发现，那里是德国某政党地下宣传组织的总部。"

说话时，他一直望着窗外。此刻，他转过头来看着我。

"想来，有趣得很，"他说，"多少年来，一个人怎么能在没有亲自探究过相关事实的情况下，一直把主观想象的东西当成真理。这样的事就发生在我身上。感觉就像是，我一直待在一间漆黑的屋子里，自认为对墙壁和地毯的颜色了如指掌。直到有人把灯打开，我才发现，现实中墙壁和地毯的颜色跟我想象中的大为不同，不仅如此，就连户型都跟我想象的不一样。

"一开始，我谨小慎微。唯恐以往的经历会干扰到我的思想认知，唯恐固有的偏见影响了我的判断。不过，我终究还是挺了过来。那里有一个德国人，像我一样，是个社会民主主义者。我们一起读《反杜林论》，而且十分热衷，有时甚至彻夜长谈。不过，最让我觉得了不起的是，书中所讲的东西居然能抚平我内心的伤痛。我开始渐渐了解身边这群伙伴，看清了以往从未看清的历史原貌。我读得越来越起劲，我发现自己头一回看清了人类的悲剧，看清了他们的愚蠢和智慧，看清了他们的命运以及发展脉络。

"又过了一阵子，我开始为党效力了。主要任务就是向德国境内递送新闻消息，真实的新闻消息。我们成立了一家报纸——至于名字叫什么，已经无所谓了，总之，要将少量报纸运送到德国境内。它被印在一张很薄的印度纸张上，每一张都可以叠成小小的，可以让人拿在手心里带走。为了实现偷运，我们想了很多办法，有些非常巧妙。我们甚至把复印出来的报纸放在一个小的防油袋子里，再把袋子塞进从布拉格开往柏林的火车的轴箱里。到了柏林终点站，由一名车轮检测员将其搜集起来，可没过多久，他就被纳粹警察抓了去，我们只好再想别的办法。后来，有一个人提议说，我们应该想办法弄一张捷克护照，假装成一名推销员，这样一来，就可以趁收取商品样品的时候顺道把报纸收起来。于是，我就报了名，经过一番周折之后，我们终于成功了。

"那一年，我越境进入德国30次以上。当时还没有太大风险。只有两件令人悬心的事。其一，怕被人认出来，遭遇公开谴责；其二，从我这里把报纸拿走并带去宣传组织的人很有可能成为嫌疑人。结果，那人果真被人盯上了。他们没有立即对他实施抓捕，而是暗中盯梢。我们经常在市郊火车站的候车室内接头，之后一起上火车。下车前，我会将一叠报纸放在行李架上，接下来由他去取。可是有一天，火车刚驶离车站就停下了，只见过道上涌进来一队党卫军。当时，我们也不知道这些人是不是冲着我们来的，于是我们俩去了不同的车厢，老老实实地坐着。后来，我听闻那些人把他抓了起来，于是我也等着他们来抓我。可是，那些人只查看了一下我的护照，接着就去其他车厢了。直到第二天快要回布拉格时，我才意识到自己被跟踪了。幸运的是，直觉告诉我不能回总部。不过这份幸运是对我的朋友们而言，我就没那么幸运了。当他们发现我不会带他们找到想要找的人时，他们就决定，最好的办法是把我弄回德国，再找人来撬开我的嘴，获得情报。要知道，我们的报纸已经开始让他们有所忌惮，而我是唯一一条可以带他们找到幕后之人的线索。我们在德国站设的组织只承担分发报纸的任务。他们要找的是幕后指挥这一切的人。于是，我不得不离开。而且，捷克斯洛伐克也待不了了，因为他们早已告知捷克警方，说我实际上是德国一名因偷盗而获罪的通缉犯，说保罗·西撒这本护照是非法办理的假护照。

"后来，他们企图在瑞士绑架我。当时，我闲来无事在博登湖岸边待着，跟其他两个自称是来度捕鱼假的人交上了朋友。一天，他们约我出去。我也没什么事，便答应去赴约。没想到，我机缘巧合地及时发现了他们的身份，原来，他们根本就不是瑞士人，而是德国人，他们的船是在靠德国的湖岸边上租来的。在那之后，我就去了苏黎世。我知道，他们肯定会跟踪我，不过他们不可能在离边境线那么远的地方绑架我。但我并没有在那里久留。一天早上，我收到一封从布拉格寄来的警示信，信中告诉我说，纳粹警察不知怎么查到了我的真实姓氏席姆勒。他们肯定早就知道保罗·西撒不是捷克人，而是德国人。但如今，知道我的真实姓氏以后，就不用非得把我绑回德国去了。从那以后，我就开始了逃亡的生活。有两次，他们差点儿抓到我。瑞士境内到处都是纳粹间谍。所以，我决定再回法国试试。从布拉格给我发警示信的就是科赫。

"他这个朋友真的很不错。我身无分文地来到这里，从那以后就一直待在这儿，他无偿供我吃穿。可是，我不能再继续逃下去了。我没有钱，科赫也给不了我，因为他自己也没有钱。这里都归他太太管，他能做的只是说服她让我待在这里。我本来想出去工作，但她不同意。她看不惯他，总想管着他。我确实应该离开了，这里现在很危险。几周前，我听说他们派了一名纳粹特工来法国。那些人搞追踪还真是有一套。而当一个人被追踪时，他就会磨炼出一种超常的直觉。一有风吹草动，就会有所察觉。虽然我已经对自己的外表做了大幅度修整，不过我想，还是暴露了。而且我觉得，我也认出了他们派来的那个间谍。只是，除非他确定我就是目标，否则不会轻举妄动。我唯一的办法就是扰乱他的视线。你的出现让我放松了警惕。有那么一瞬间，我甚至觉得自己露了马脚。科赫断定你是一个道行尚浅的骗子。"他耸了耸肩，"我不知道你是谁，瓦达西，不过我刚刚跟你说的都是事实。你接下来要怎么做？"

我看了看他。"说实话，我也不知道，"我说道，"或许，我会相信这个故事，但还有一件事。您还没跟我解释清楚，为什么他们发现您的真实姓氏是席姆勒以后，您的境遇就变得更糟了。他们知道你是西撒以后没能逼您回国，为什么知道您的真实姓氏之后就一定能逼你回国呢？"

他盯着我的眼睛，只见他嘴角抽搐。恐怕，这应该是他流露真情时的唯一破绽。回答我的问题时，他语气平和、声调平缓。

"这个问题很简单，"他慢慢地说道，"我的妻子和孩子还在德国。"

"是这样的，"片刻之后他继续说道，"他们赶我出德国的时候，不让我见家人。我已经两年多没见过他们了。被押送到集中营之前，我听说我的妻子已经带着儿子到柏林郊外的她父亲家去了。在比利时和巴黎的时候，我都给她写过信，我们说好了，只要我在法国或英国安定下来，他们就来跟我团聚。可是没多久我就发现，在巴黎我勉强能养活自己。在伦敦也是一样。我不过是一个德国难民。在布拉格，我认识了一个人，听他说，他所在的那个政党组织有办法和门路，能神不知鬼不觉地进出德国。我太想见到我的妻子了，想跟她说说话，想看看儿子。正是因为这种急切的心情，我才按照集中营里那个人给的地址找了过去。当然了，随意进出德国的事根本就是一派胡言。很快我就看明白了，好在后来，我抓住了一次时机。我用捷克护照出行了三次，秘密和妻子碰了面。

"她想劝我带她和孩子一同回布拉格，我没同意。在那里，我没有办法维持生计，而当时，他们可以舒舒服服地住在她父亲家里，孩子还能上学，所以我想他们最应该待在那里。

"经历过一番打击之后，我很庆幸自己能一直保持理智平和的心态。如果可以，就让纳粹特工来把我抓走吧！之所以这样说，不是为了他们考虑，而是因为我们党组织早就清楚，无论一个人有多忠诚，最终都会因为被逼得走投无路而投降。那些人跟踪我到布拉格时，总部就已经撤离了。现在，连我也不知道他们搬去了哪里。当时，他们把总部设在布拉格的各大邮局。可是，纳粹警察做事太绝。他们依旧想把我弄回去，我真是低估了他们。捷克护照太危险了，不能用，所以我只好又启用了德国护照，这是妻子之前替我秘密保管的，我们碰面时，她带了过来。他们肯定是通过这个才追踪到我的。

"当我听说他们得知了我的真名，我十分恐慌。我的妻子和儿子可能被他们劫去做了人质。如此一来，我不得不回去弄清楚是不是妻子在替我坐牢。我仔细考虑过，除非他们给我下最后通牒，否则我妻子就还有可能是安全的——当然了，监视是肯定少不了的，不过至少是安全的。那么，我只须做好一件事——在得知她的境况之前继续逃亡。如果她一切都好，依旧待在她父亲家里，那么我就得继续过这种逃亡的生活，直到某一天他们倦了，再也不想找我了为止，那我就再弄一张护照，带她离开。"

他盯着手里那只旧烟斗："我已经等了四个多月，依旧什么消息都没有。我又不敢自己写信，害怕被德国的信件检查员察觉。科赫在土伦有一处住所，他试着用那个地址邮寄过信件，但还是没有回音。除了等，我没有别的办法。如果他们在这里找到我，我也只能认了。我必须在短时间内得知她的消息，否则我无论如何都得回去了。这就是目前我要做的事情。"

我们俩都沉默了片刻。之后，他抬起头看着我，咧嘴微微一笑："我能相信你吗，瓦达西？"

"当然能。"我本来还想再说些什么，但并没有说出口。

他向我点头致谢。我起身朝门口走去。

"那你要找的间谍怎么办，我的朋友？"他扭过脸小声问道。

我犹豫了一下，之后说："我再去别的地方找找，海因伯格先生。"

说完，我准备把身后的门带上，这时的他正抬起双手，把脸埋在手心里。见此情景，我赶紧走开了。

关门时，我恰好听到附近另一扇门关上的声音。我并没有在意。即便有人看见我从海因伯格先生的房间离开又能怎样，没有必要担心。回到房间后，我把贝金那张名单拿出来看了一会儿。随后，我勾掉了下面三个人的名字——阿尔伯特·科赫、苏珊娜·科赫和埃米尔·席姆勒。

14

主动出击

8月18日下午4点半，我坐下来，面前摆着一张酒店专用纸，准备仔细考虑一下目前的问题。

若是精神病医生看到我这个样子，恐怕会对我的精神状态表示担忧。他这样想并没有错。那个时候的我，甚至连数都会算错，以为这些人两个两个为一伙儿，加起来总人数是五。我想，当时可能真有些精神失常。

我盯着那张空白的纸看了好长时间。之后又拿起来看了看上面的水印。最后，我一笔一画、清清楚楚地在上面写下了一句话：

"如果一个人要花3天时间排除3名嫌疑人，那么，在其他因素不变的情况下，同样是这个人，再排除8个嫌疑人要花多长时间？"

我简单算了算。之后在纸上写道："答案是8天。"随后又在这几个字下面标注了横线。

接着，我又在纸上画了一个十字架，架上吊着一具尸体。我在尸体上标注"间谍"字样。随后，我又在原来的基础上给那人添了个大肚子，用铅笔画了几大滴汗珠，把原来标注的文字改成"贝金"。不过最终，我还是把大肚子改了过来，添上了很多头发，还在眼睛下面画了些黑眼圈，重新标注成"瓦达西"。就这样，我有心无心地从一个刽子手的角度尝试着画了这张素描。

8天！而我只剩不到8小时的时间！除非科赫能容许我再待几天。席姆勒是他的朋友，如果席姆勒告诉他我不是小偷的话……可是，席姆勒真的相信我不是小偷吗？或许，我应该再去他房间一趟，跟他解释清楚。可是，又有什么用呢？我的钱都花完了。即便科赫允许我留下，我也没有钱继续住在储备酒店了。这又是一个突发事件，贝金并没有考虑过该如何应对。贝金！这个人真是既无能又愚蠢。他就是个小丑，是个白痴。想到这里，我允许自己在心里使劲数落了他一通。后来我才知道，我对贝金的处事方法有所误解，我住在储备酒店的那段时间犯了很多错误，这便是其中的一个。不过在我看来，这个错误是最情有可原的。我怎么知道他在想什么？那天下午，我待在房间里，怎么想都觉得他就是一个不讲理的笨蛋。当时，我掌握的信息有限，换作别人，也大都会得出跟我一样的结论。

后来，我把乱涂乱画的那张纸撕掉了，重新拿了一张，那个时候已经是5点钟了。我望着窗外，太阳早就转过去了，此时的海面犹如一座波光粼粼的液态金属池。海湾对面的山峦轮廓在树梢上方渗着红光，投射出的一大片阴影逐渐在海滩上向前推移。

我在想，此刻要是在巴黎就好了。城市中，午后的余热已经消散。坐在卢森堡公园的大树（位于木偶剧剧场附近）底下乘凉，真是再好不过了。此刻，那里应该是寂静的吧。或许，除了一两名学生在那里读书以外，不会有别人。你可以在那里听树叶的沙沙声，它们不了解人类在劳动过程中所经受的痛苦，也不了解某种能够加速自身毁灭进程的人类文明。那里，没有眼前这片亮铜色的大海和血红色的大地，不过你可以心平气和地思考20世纪人类的悲剧。但是，有一点是无法做到心平气和的，一想到人类总是被潜意识中的劣根性所禁锢并不断挣扎自救，总会令人扼腕叹息。

可这里是圣加蒂安，不是巴黎；是储备酒店，不是卢森堡公园。在这里，我的身份是演员，不是观赏风景的人。再者，除非我够聪明，够幸运，否则，过不了多久，我就将销声匿迹。想到这里，我的思绪又被拉回来。

斯凯尔顿兄妹、弗格夫妇，还有鲁和马丁，以及克兰顿-哈特利夫妇，还有杜克洛——我无奈地盯着这份名单。接下来，该轮到斯凯尔顿兄妹了！关于他们，我都知道些什么呢？细想，除了他们的父母下周要乘坐"萨伏伊伯爵号"轮渡过来以外，我对他们是一无所知的。还有，这是他们第一次出国旅行。当然可以直接将这两位排除。不过紧接着，我又犹豫了一下。我凭什么觉得"当然可以"？这样算是以冷静、客观的态度对待一切可能的事实吗？不，不算。其实，除了斯凯尔顿兄妹跟我讲的那些事以外，我对他们是完全不了解的。如此说来，或许，席姆勒和科赫的嫌疑排除得有些早。不过，凭借他那些护照以及那日无意间听到他与科赫之间的谈话，可以确定他的话是真的。可是，斯凯尔顿兄妹其实没有什么能证明他们说的那些事是真的。所以，这二位是必须查的。

弗格夫妇呢？他们该怎么办？我的本意是将他们也排除。哪有像弗格那么奇怪的间谍？不过，也同样要小心谨慎地去探探他们的口风。

那鲁和马丁呢？鲁的法语讲得很不地道，至于那个女人，她太过风情。除此之外，没有什么值得特别注意的。但无论如何，都得经过一番调查。

接下来是克兰顿-哈特利夫妇，这对夫妇更有趣。我很了解他们。当然了，这些事都没有经过验证，不过，的确很有趣。对了，还有一点是非常值得注意的：少校手头紧，曾两次试图向人借钱。再者，听杜克洛说，他一直在等一笔钱，可惜没拿到。难道是拍那些照片赚的钱？很有可能。而且，杜克洛一口咬定，说少校借钱的心情极为迫切。好吧，这也有可能。还有，克兰顿-哈特利夫人其实是意大利人。一切都刚好契合。

老杜克洛这位目击证人，绝对不靠谱。我太了解了，他的想象力极为丰富。他这样的人，不太可能被纳入嫌疑犯的行列。可能性非常小。可是，若照此判断，大家都不像间谍。关于杜克洛这个人，我又了解多少呢？简单概括一下，他是（或者貌似是）一个喜欢嚼舌、喜欢在比赛中作弊的不起眼的实业家。可这些又能说明什么呢？说明不了什么。

后来，我有了一个重大发现。其实，只要不是那种无可救药的傻子，早就该有所领悟。我发现，研究这些人的日常行为根本没用——当所有人都接受了一个人的外在表现以后，他再玩一些骗人的把戏，这样最容易蒙混过关——现在就是要做一种假设，假设他们所有人都是骗子，那就要想办法逼他们现出原形。我不该跟他们那么友好，而是应该怀着一种质疑的心态。我不该一味地接受这些人外在的自我表现，而是应该有所质疑，细致地剖析。若是在剧院，就用不着做这样的假设了，比如，约翰·布朗在剧中扮演卡利班[1]的角色，私下里，他的举止当然要尽可能地和卡利班贴近。一直以来，我都在回避这件事。如今，也该是我主动出击的时候了。

我考虑了一阵子。主动出击时，要用怎样的言辞？这种情况下，要怎样执行主动出击的策略？难道我要像一只饥饿的獒犬一样在储备酒店里闲逛，看谁从身边经过就扑上去一顿撕咬吗？这无疑是荒唐之举！不，我要做的是问他们问题，打探消息。我与这些人的日常礼节一旦建立起来，就赶紧趁热打铁，实现下一步。我必须看似不经意、实则有意地触碰他们的内心情感，直到他们自己露出马脚。再接下来，我向自己发誓，我一定会像雄鹰一样将罪犯一击致命。

现在回想起来，我真为自己的愚蠢感到惊讶，居然一件事都没做

1　莎士比亚剧作《暴风雨》中半人半兽形怪物。

成，实在可悲。或许，没能找到机会实施我的那些策略，进而得出预想中的结果，也算是我的幸运。若真得以实施，恐怕储备酒店里会上演各种尴尬的戏码。但事实上，尴尬的戏码只真真切切地上演了一场，虽然我是主角，但毕竟跟我的策略无关。不过，这都是那天晚上很晚之后的事了。

5点25分，我在那张纸上写下了九个人的名字，接着，我闭上眼睛把铅笔转了一圈，然后——铅笔指向了一个人的名字。我睁开眼睛，弗格夫妇，我的第一个目标。我梳了梳头发，准备下楼去找他们。

同往常一样，他们正和杜克洛、斯凯尔顿兄妹以及那对法国情侣待在沙滩上。我一出现，杜克洛先生就一下子从躺椅上站起来，赶紧过来迎我。糟糕，太迟了，我突然意识到，还没想好一个合适的理由，好跟他解释那些被"偷"去的物件是怎么找回来的。

我正要转身躲开。可就在我稍作犹豫之时，我发现，太迟了，躲不开了。杜克洛正朝我这边兴冲冲地赶来。我本想简单点一下头就过去，没想到他急忙采取迂回战术。下一秒，我就跟他一起并排朝其他人走去了。

"我们早就想问您了，"他上气不接下气地说道，"报警了吗？"

我摇了摇头："没有。好在用不着报警了。"

"那些值钱的东西找到了？"

"是的。"

听完，他赶紧跑到前边去跟大家报信。"那个贼，"只听他说道，"已经找到了。丢失的值钱物件已经找回来了。"

等我走过来时，他们激动地向我这边围拢过来，问了许多问题。

"难道是哪个服务员？"

"不用问，肯定是英国少校……"

"是园丁吗？"

"是领班吗？"

"拜托！"我举起手来示意大家不要再问，"根本就没有偷东西的人。那些值钱的东西并没有丢。"

大家一阵惊叹。

"整件事，"我假装不安地说道，"其实是一场误会……一场极为愚蠢的误会。貌似，"我绞尽脑汁想找一个合适的理由为自己解围，"貌似是服务员在打扫房间的时候把行李箱挤到了床底下一处看不见的地方。"这个理由听上去就很不靠谱。

鲁拨开两旁的弗格夫妇。"但是，"他一脸神气地问道，"行李箱上的锁头不是被撬开了吗？"

"嗯，对呀。"弗格先生附和道。

"没错，的确是这样！"他的妻子也跟着说道。

"他在说什么？"斯凯尔顿问道。

为了给自己争取时间，我给他翻译了一遍。"我，"我又说道，"我也不明白他在说什么。"

他一脸的疑惑："为什么，不是说锁头被撬开了吗？我记得您是这么说的。"

我慢慢地摇了摇头，心里有了主意。

鲁一直在稀里糊涂地听我们交流，有些不耐烦起来。我朝他那边转过身去。

"先生，我在跟大家解释说，这件事是您误会了。我虽然不知道您是从哪儿得来的消息，不过根本就没有行李箱锁头被撬开这回事。我确实私下里跟这位杜克洛先生说过这件事，不过绝对没提锁的事。如果，"我一脸严肃地继续说道，"某人在不了解实情的情况下散播虚假谣言，恐怕会有最糟糕的情况发生。弗格先生，我跟您说过锁被撬开的事吗？"

弗格先生赶紧摇摇头。

"没有，的确没有！"弗格夫人补充道。

"鲁先生，"我严肃地追问道，"我认为您……"话说到一半，他打断了我。

"这是什么话？"他生气地反驳道。"是那边的那个老家伙，"他指着杜克洛说道，"是他告诉我们大家的。"

所有人的注意力都集中到杜克洛先生身上。他挺直了腰板。"先生们，我，"他义正词严地说道，"我是一个有着丰富经验的商人，绝不会辜负别人的信任。"

鲁听了这话，带有讽刺意味地哈哈大笑："老家伙，是你告诉弗格先生和我关于盗贼的事，你还说行李箱的锁被撬开了，难道你想抵赖？"

"那是绝密，先生，绝密！"

"呸！"鲁生气地说道。他转过身对马丁小姐说，"绝密！听见他说什么了吗，亲爱的？"

"听到了，亲爱的。"她用法语应道。

"他承认了。那当然是绝密！"他用奚落的语气说道，"不过，他承认了，锁的事就是他说的。"

杜克洛先生气得脸色铁青："先生，您这话说得不公平！"

鲁哈哈大笑，还十分粗鲁地吐着舌头。这时，我觉得有些对不起杜克洛先生。毕竟，是我告诉他关于行李箱锁被撬的事。或许，我该缓一缓这紧张的气氛。但这个时候，他已经开始为自己辩解了。他气得把胡子使劲往前一推。

"先生，如果我还年轻，真应该给你点儿颜色看看！"

"或许，"弗格不安地说道，"我们应该冷静地讨论一下这件事。"说着，他又把背带往上拉了大约1厘米的样子，一只手搭在鲁的肩膀上。

鲁不耐烦地把他的手抖落。"没有必要，"鲁大声说道，"跟这个愚蠢的老家伙谈论任何事都是没有必要的。"

杜克洛先生深吸一口气。"这位先生，你就是，"他故意加重语气，"一个骗子！瓦达西先生那些值钱的东西都是你偷的。否则，你怎么知道行李箱锁被撬开的事？我，杜克洛，指控你。你就是那个贼，是个骗子！"

安静了片刻，只见鲁暴跳如雷，直奔指控他的那个人扑了过去，斯凯尔顿和弗格见状，赶紧三步并作两步，上前拽住鲁的胳膊，将他稳住。

"放开我！"鲁歇斯底里地大叫，"我要掐死他！"

弗格和斯凯尔顿早就担心他会有这样的反应，于是他们牢牢地拉住他。杜克洛先生若无其事地捋着胡子，饶有兴趣地看着眼前苦苦挣扎的鲁。

"贼，骗子！"他又说了一遍，仿佛刚说的那一遍我们大家都没听见一样。

鲁气得大叫，试图朝他身上吐口水。

"我觉得，杜克洛先生，"我用坚定的语气说道，"您还是先上楼去比较好。"

只见他摆出一副强硬的姿态："我可以离开沙滩，先生，只要鲁向我道歉。"

我刚想跟他理论一下道歉的事，分析一下到底是不是鲁的过错，可就在这时，在旁边一直大喊大叫的马丁小姐一下子跑上前来，两只胳膊搂着恋人的脖子，鼓动他去收拾那个人。结果，她连哭带号地被弗格夫人和玛丽·斯凯尔顿拉开了。这时，鲁回过神来，开始破口大骂，骂各种难听的话。

"猴崽子！"

杜克洛先生也无法保持冷静了，他一跃向前。"你这只性无能的山羊！"他言辞激烈地反击道。

这番话引来马丁小姐的一阵尖叫。于是，被激怒的鲁再次展开攻势。

"病恹恹的骆驼！"他大喊。

"杂种白痴！"杜克洛先生吼道。

鲁舔了舔嘴唇，用力吞咽了一下口水。我还以为他败下阵来了。没想到，他用尽全身的力气准备最后一战。他动了动嘴唇，深吸一口气，安静了片刻。随即，他铆足了劲儿，对着杜克洛先生恶狠狠地一通咒骂。

听完鲁的这通话，大家都愣了一阵。接着，有人咯咯笑起来。我猜应该是玛丽·斯凯尔顿。她这一笑，惹得大家都跟着哈哈大笑起来。杜克洛一脸困惑地看了看大家，随后也跟着笑起来。只有鲁和奥黛特·马丁没有笑。只见他狠狠地瞪了我们一眼。随后把弗格和斯凯尔顿的手从自己胳膊上抖落，穿过沙滩，朝台阶那边走去。马丁小姐也紧随其后。待她追上前去，他转过身来，朝我们这些人挥了挥拳头。

"好吧，"斯凯尔顿说道，"我虽然不知道这到底是怎么回事，不过，我们确实在储备酒店见了世面。"

杜克洛先生沾沾自喜——就像目睹特洛伊陷落后的尤利西斯。接着，他跟大家握了握手。

"真是个危险的家伙，那个家伙！"他随口说着。

"像流氓一样！"弗格先生说道。

"没错，的确！"

刚开始，我松了一口气，以为这些人早就把刚才讨论的话题忘了。没想到，斯凯尔顿兄妹还记得。

"他们说的绝大多数话我都听懂了，"女孩说道，"那位法国老人说的没错，是不是？您确实说过行李箱锁被撬的事，对不对？”她看着我，一脸的好奇。

我只觉得自己的脸唰地一下红了。

“不是的。您一定是误会了。”

“难道，”斯凯尔顿慢声细语地说道，“是我们之中的某一位宾客？”

“我不知道您在说什么。”

“好吧，瓦达西先生。我们明白了。”他咧嘴笑了，“东西既然还回来了，就不要再问那么多了。不说了，兄弟。”

“瞧您说的，沃伦。我们可是朋友，瓦达西先生，是不是哪个服务员干的？”

我无奈地摇了摇头。真是太让我为难了。

“您该不会指的是我们哪位宾客吧？”

“都不是。”

“好奇心又开始作怪了，玛丽·斯凯尔顿？啧啧啧！”

“闭嘴，沃伦！真不知道您是怎么想的，瓦达西先生。”

我很能理解她当时的心情。好在这个时候，杜克洛先生用他那极具穿透力的声调向大家宣布，他要正式向经理提出投诉。

见此情景，我把他拉到一边，趁机摆脱了斯凯尔顿兄妹的盘问。

“先生，如果您不再纠缠此事，我会非常感激。这件事让大家闹得很不愉快，某种程度上，我也有一定的责任。我现在很想让这件事过去。可不可以请您不要再过问这件倒霉事，就当是您私下里帮我的一个忙？”

他捋了捋胡子，从夹鼻眼镜上方快速地瞥了我一眼。

“先生，是那个人侮辱了我。而且是在大庭广众之下。”

“确实如此。不过，您成功地对付了那个家伙，我们大家都看在眼里。在这件事上，他的表现非常差。我不禁觉得，若揪住此事不放，反倒会让您很丢脸。这种人，还是不要搭理的好。"

他仔细考虑了一番："或许，您说得对。可是，我之前很明确地告诉过他，这件事并没有涉及暴力行为，所以他说锁头被撬开这件事并没有依据。"他看着我的眼睛，眼神没有一丝闪躲。

面对这种思维极度敏捷的人，我只能屈服，于是我迎合他说："他这种表现恰好说明，他知道自己错了。"

"正是。好吧，先生，应您的要求，我决定不再追究此事。您说这样能保住我的声誉，我相信您。"

于是，我们互相鞠了个躬。接着，他转身去了其他人那边。

"应这位先生的要求，"他正式宣布，"我决定不再追究此事。这件事到此为止。"

"明智的决定。"弗格一边给我使眼色，一边严肃地说道。

"没错，是的！"

"不过，这个鲁，他今后一定要小心了，"杜克洛先生发狠话说，"但凡再有辱骂我的行为，我决不善罢甘休。没教养的东西，卑鄙至极。大家也看到了，他并没有跟那位小姐结婚！这种人一定会把她带坏，败坏贞德！"

听到这里，我觉得没多大必要再继续说下去，可没想到弗格夫人起了劲。

"女人，"她义正词严地说道，"应该跟丈夫和孩子在一起。我跟这个可怜的姑娘聊过。她既没有丈夫也没有孩子。太遗憾了。希望鲁先生能够娶她。"

"是啊，是啊。"弗格先生提了提裤子，轻轻地拍了拍她的手以示安慰，又朝我使了个眼色。

"下流的东西，"杜克洛先生用坚定的语气说道，"他要是离开这里就好了。"

"他还真记仇，"玛丽·斯凯尔顿小声嘀咕道，"您觉得，有谁能劝劝这个无聊的老家伙换个话题吗？我想多学些单词。总不能老听一句话吧？"

只听她哥哥清了清嗓子。"那个凸眼珠的下流东西，他的情妇正在酒店经理的花园里吃莓子呢，"他阴阳怪气地说道，"请问，情妇的那瓶染发剂放哪儿了？"

"哎呀！又是大学校园里那套幽默！"

接着，兄妹俩开始了一番争论，最终妹妹沿海滩追着哥哥跑。弗格和杜克洛、弗格夫人接过话茬，就已婚男人是否有权在外包养情妇这一问题进行讨论。我在一旁听了那么一两分钟。随后，杜克洛先生开始发表言论，说他跟已故妻子之间的关系和睦，听到这里，我便没了兴趣。看来，我这主动出击的计划有些难以推进。

于是，我开始琢磨鲁这个人。

他是一个坏脾气又不招人待见的人，但却不难看出那个女人为什么会迷恋上他。看他平时动作轻盈矫健，既有威武的硬汉气质，又有些微妙的女性气韵。或许，他是个不错的情人。

他给人的感觉是，既像老鼠那般狡猾，又像老鼠那般简单，是一个小气、思维敏捷的危险人物。那双眼睛背后，好像隐约有那么一股子疯狂劲儿。他的一举一动总是能透露出自己的心思。没错，他的确是个危险人物。身体也很健壮：十分结实。看到他，总能让人想起那些搞追踪的人。

搞追踪的人！席姆勒用过这个词。"那些人搞追踪还真是有一套。"他的话在我耳边回荡。"我们听说，他们派了一名特工到法国。"真笨！我早该想到的。特工，那个被派往法国去"说服"他回德国的人，那个被席姆勒认出来的人，那个等待时机、瞄准猎物再出击的人——鲁。这件事再明显不过了。是的，没错！一切都完美契合。

我躺在沙滩上，闭着眼睛。过了大概一分钟，斯凯尔顿兄妹气喘吁吁地回来了。

"有什么好笑的事情吗，瓦达西先生？"女孩说道。

我睁开眼睛："没有。我刚刚在想事情。"

"好吧，这里的景色不错。"

给人的感觉也不错。有一点是毫无疑问的。无论如何，主动出击的计划即将获得巨大的成功。而且，我又有了个主意。

15
都是骗子

那日，大家离开沙滩的时间比以往要早。起风了，自从离开巴黎，我还是第一次看到乌云密布的天空。就连大海都变成了暗灰色，红色的礁石已不再有亮光。仿佛随着阳光的消逝，这个地方也跟着失去了生气。

正当我准备上楼去添件衣服保暖时，我发现服务员们正忙着在一楼餐厅里摆桌子。一进房间，我就听见头一阵雨滴从窗外藤蔓植物叶子上啪嗒啪嗒滴落的声音。

我换好衣服，按铃叫服务员过来。

"鲁先生和马丁小姐的房间号是多少？"

"9号房，先生。"

"多谢，没别的事了。"紧接着，我从她身后把门关上。我点了一根烟，坐下来将行动计划推演一遍，在开始之前把整件事捋清楚。

我对自己说，这个计划绝对万无一失。有一个纳粹特工在追踪一个名叫席姆勒的人。而且，他很有可能已经成功了。那么，也就是说，这个特工极有可能已经掌握了储备酒店所有宾客的信息，于我而言，这些信息意义重大。如果我能从他那里拿到这些信息，如果我能套出他的话，或许就能找到我需要的线索。这绝对是一次良机。不过，我要小心行事，千万不能让鲁起疑心，千万不能做出异常的举动。一定要从他那里打探出消息，既要小心翼翼地旁敲侧击，还要装出一副事不关己、漠不关心的样子。要时刻保持警惕。这次千万不能出错。

我站起身来，沿走廊来到9号房间。这时，只听屋子里传来阵阵低语声。我敲了敲门，说话声立即停止了。紧接着是一阵忙乱的声音。之后是衣橱门的嘎吱声。再后来，那个女人喊了一声"进来"，我把门打开。

马丁小姐正穿着一件半透明的浅蓝色睡衣坐在床上修指甲。我猜，那件睡衣一定是她急忙从衣橱里拿出来穿上的。鲁正站在洗手盆前刮胡子。两人都一脸疑惑地盯着我看。

我刚想为这种不请自来的行为表示歉意，没想到鲁先开了口。

"你来干什么？"他厉声说道。

"我是不请自来的，对此，向您深表歉意。其实，我是来跟您道歉的。"

他一脸疑惑地打量着我。

"为什么？"

"今天下午，您因为杜克洛的一番话而蒙受羞辱，我想您多少会把这个责任怪到我头上。"

他转过身去，把脸上的香皂沫擦掉："为什么怪到你头上？"

"毕竟，是因为我的失误才产生了这些矛盾。"

他把毛巾扔到床上，问了那个女人一句："自从我们离开沙滩，我说过一句责怪这个人的话吗？"

"没有，亲爱的。"她用法语回道。

他转过身来对我说："你听见了。"

我依旧坚持自己的立场。

"无论如何，我都觉得自己有责任。要不是因为我的愚笨，就不会发生这样的事。"

"都已经结束了。"他生气地说道。

"幸好已经结束了。"此时的我非要一探他的虚荣心，"若您愿意听我说一句，我觉得，您为人处世既自尊又自律。"

"屁话。要不是他们拉住我的胳膊，我早就把他掐死了。"

"您肯定是被惹急了。"

"当然。"

其实，这番话没有任何意义。于是，我再次试探。

"您要在这里待上很长一段时间吗？"

他用警惕的眼神瞥了我一眼。

"为什么想知道这个？"

"哦，没有什么特殊的原因。我只是在想，或许我们可以来一局俄式台球——以此来表明我们之间没有闹得不愉快。"

"你球打得好吗？"

"不是很好。"

"那样的话，我很有可能会把你打得落花流水。我的球技非常好。那个美国人是我的手下败将。他打得不是很好。我不喜欢跟菜鸟打球。我觉得那个美国人很无趣。"

"不过，他倒是个开朗的人。"

"可能吧。"

我坚持说道："那个姑娘还是挺漂亮的。"

"我可不喜欢她，她太胖了。我喜欢身材瘦一些的女人。是不是，亲爱的？"

马丁小姐微微一笑。他坐到床上，探过身去，把她拉到自己这边，两人激吻一番。随后，他把她推开。她扬扬自得地朝我笑了笑，捋顺了头发，继续修指甲。

"看到了吧，"他说道，"她的身材才叫好。我喜欢。"

我试探着坐在椅子的扶手上："这位小姐确实很迷人。"

"还不赖。"他点燃一支细长的黑色方头雪茄烟，拿出男人的派头，好像对他来讲，这种成功的经历已经是司空见惯的了。接着，他朝我这边吐出一口烟来，出其不意地问了句："先生，你为什么来这儿？"

我心里一惊："我当然是来道歉的。我早就解释过……"

他不耐烦地摇了摇头："我是在问你，你为什么要来这里——来这家酒店。"

"来度假。我先在尼斯待了一段时间，之后才来的这里。"

"在这里待得还不错？"

"当然。假期还没有结束。"

"那你打算什么时候离开？"

"还没决定。"

他低垂着肿泡眼。

"跟我说说，你觉得那个英国少校为人怎么样？"

"没什么特别的。只是一个普通的英国人。"

"你借给他钱了吗？"

"呃，没有。他也向您借钱了？"

他冷笑了一下："没错，他借了。"

"那您借给他了吗？"

"我看上去那么笨吗？"

"那您提他干吗？"

"他明天一大早就要离开酒店了。我听到他让经理在从马赛开向阿尔及尔的轮渡上替他订了一间客舱。他一定是找到了一个愿意借钱给他的傻蛋。"

"会是谁呢？"

"我要是知道就不会问你了。我对这些小事很感兴趣。"说着，他把烟放在嘴里转了转，好让烟蒂沾湿，"还有一件小事让我很感兴趣。那个海因伯格是怎么回事？"

说这话时，他的语调稀松平常，像是在跟一个话不投机的人聊天时随口找了一个有趣的话题一样。

不知为什么，我吓得脊背发凉。

"海因伯格？"我重复道。

"对，海因伯格。他为什么总是独自坐在那里？为什么从来不下水游泳？前几天，我看你跟他聊过天。"

"我对他一点儿都不了解。他是瑞士人，对吗？"

"不知道。我在问你。"

"恐怕我也不知道。"

"那天你们都聊什么了？"

"我不记得了。可能是聊了聊天气吧。"

"多浪费时间！我要是跟人聊天，肯定能挖掘到对方的一些信息。人们总是嘴上说一套，心里想一套，我真想知道这两者之间有着怎样的差别。"

"是啊！您也发现了吗？这两者之间总会有差别。"

"一向如此。人都是骗子。女人们偶尔会说真话，但男人，永远不会。我说的对吗，亲爱的？"

"没错，亲爱的。"

"没错，亲爱的！"他开玩笑地用法语回应了一句，"她知道，如果跟我撒谎，我会拧断她的脖子。朋友，告诉你句实话，男人都是懦夫。他们不喜欢听真话，因为真话是会伤人的，除非它外面包裹着谎言与情感，这样就可以不被它的利刃所刺伤。如果男人讲真话，那么他一定是个危险人物。"

"您是不是觉得这种观点很劳神？"

"我觉得挺有意思，我亲爱的先生。人是一种很有趣的生物。就比如你吧。我觉得你就很有意思。你说自己是一名外语老师，一个拿着南斯拉夫护照的匈牙利人。"

"我敢说，您绝不是在你我二人之间的谈话中得知这一消息的。"我开玩笑地说道。

"我的消息很灵通。是经理告诉弗格的。弗格的好奇心很强。"

"我就知道是这样。不过这也没什么。"

"绝非如此。这件事令我深感疑惑。我仔细琢磨过，为什么一个拿着南斯拉夫护照的匈牙利人会定居在法国？为什么他每天早上都要行踪神秘地往村子里跑一趟？"

"您还真善于观察。我之所以定居在法国，是因为我的工作在法国。而且我去村子这件事，也没什么神秘的。我是去邮局给我在巴黎的未婚妻打电话。"

"是这样？看来，通信服务的水平提高了。以往怎么着也得1小时才能接通电话。"他耸了耸肩。"这倒没什么。还有一个问题更加令人费解。"他吹了吹烟头的烟灰，"比如，为什么早上的时候瓦达西先生行李箱的锁头还是被撬开的，到了下午说法就不同了呢？"

"这个问题同样很简单。因为杜克洛先生的记性不好。"

听了这话，只见他那双原本盯着烟蒂的大眼睛陡然挪到了我身上。"也对。是他记性不好。他根本就记不清你之前跟他说了什么。笨蛋撒谎精怎么可能记得这些事情。他们总会被自己的谎话绕糊涂。不过，我就是好奇。你那行李箱的锁头到底是不是被撬开的？"

"我觉得，这个话题我们已经有了结论。没有，没有被撬。"

"原来如此。你也来一支烟吧。我不喜欢自己一个人吸烟。奥黛特也来一支。给她一支，瓦达西。"

我从口袋里拿出一包烟来。他挑了挑眉毛。"没有烟盒吗？你还真是粗心大意。我本以为，为了安全起见，你会把烟盒带在身上。此时此刻，我们怎么知道海因伯格或者那位英国少校没在偷东西？"他叹了口气，"好吧，好吧！奥黛特，亲爱的，来一支烟吗？你是知道的，我不喜欢一个人抽烟。不会损伤你的牙齿。瓦达西，你瞧瞧她的牙怎么样？还是不错的。"

只见他一下子从床上探过身去，把那女人往后一拽，扒开上嘴唇，露出她的牙齿。她丝毫没有反抗。

"很好，是不是？"

"是的，很好。"

"我就喜欢这样的。牙齿健康、身材又苗条的金发妞。"他放开她。她挺直上身，在他耳垂上亲了一下，随后接过我递出的一根烟。鲁替她划了根火柴。接着，他一边把火柴吹灭，一边又看了看我。

"你在警察局待过一天，对吗？"

"好像所有人都听说了这件事，"我轻描淡写地说道，"他们好像看我的护照不太顺眼。"

"护照怎么了？"

"我忘了重新申请。"

"那你是怎么来到这个国家的？"

我哈哈大笑："先生，您这个样子让我想起了警察。"这时，我仔细地观察着他对这句话的反应，不过他只是耸了耸肩。

"跟你说过了，我觉得人是一种有趣的生物。"他倚着一只胳膊，"我发现一件事。所有男人，不管他是不是爱撒谎，都有一个共同点。你知道是什么吗？"

"不知道。"

他的身子猛地朝前一倾，抓住我的手，用食指轻轻敲了敲我的手掌。"爱钱。"他轻声说道。紧接着，他松开我的手。"你，瓦达西，你运气不错。你没有钱，而此刻，钱正在向你招手。你又没有政治上的顾虑。所以，赚钱的机会来了。为什么不抓住？"

"我不知道您在说什么。"那时，我真不知道他在说什么，"您指的是什么机会？"

他沉默了片刻。我发现，那个女人也不再修磨指甲了，锉刀停在指尖上，她聚精会神地听着。他随后问道：

"今天是星期几，瓦达西？"

"今天？当然是星期六。"

他慢慢地摇了摇头。

"不，不是，瓦达西。今天是星期五。"

我不解地大笑起来。

"先生，我敢跟您保证，今天是星期六。"

他又摇了摇头。

"瓦达西，是星期五。"他眯起眼睛，身子探过来，"瓦达西，我觉得我能从你那儿得知一些确切的消息，如果你愿意配合，我就准备用5000法郎跟你打赌，赌今天是星期五。"

"可是，您一定会输的。"

"没错。我会输给你5000法郎。不过，从另一个角度来看，我就能得到那些消息。"

我这才明白他的意思。原来，他这是在贿赂我。这时，我脑中闪现出席姆勒的一句话："除非他确定我就是目标，否则不会轻举妄动。"这个人看见我跟席姆勒聊天，甚至可能看见我进了席姆勒的房间。我突然想起来，我从14号房间离开的时候，听到附近一扇门的关门声。他肯定是以为我了解海因伯格的底细，打算用钱来买线索以证实海因伯格的真实身份。我一脸茫然地看着他。

"先生，我觉得我无法向您提供什么价值5000法郎的信息。"

"不能吗，你确定？"

"是的。"我站起身来，"总之，我从不拿明摆着的事情打赌。先生，我刚刚以为您是认真的。"

他笑了笑："瓦达西，你可能也知道，我不会把玩笑开得太过。离开这里之后你打算去哪儿？"

"回巴黎。"

"巴黎，为什么？"

"我在那儿生活，"我盯着他的眼睛，"而且我猜，您是要回德国去的。"

"瓦达西，你凭什么认为我不是法国人呢？"他的音调降下来，脸上虽依旧挂着笑，却十分僵硬。我发现他腿上的肌肉都绷了起来，像是准备要跳起来一样。

"您稍微有一点儿口音。我也不知道为什么，不过我猜您是德国人。"

他摇了摇头："我是法国人，瓦达西。请别忘了，你，一个外国人，是听辨不出真正的法语口音的。还请你不要侮辱我。"只见他那肉乎乎的眼皮垂下来，将那凸出来的眼珠子盖住，像是完全闭上了一样。

"请您谅解。我该去喝点儿开胃酒了。您跟这位小姐要一起来吗？"

"不了，我们就不跟你一起去了。"

"希望没有打扰到二位。"

"哪里的话，跟您聊天很高兴——很高兴。"过分客套的语气让人听了很不舒服。

"很高兴能听您这么说。"我打开门，"再见，先生，再见，小姐。"

他没有起身，只是带有讽刺意味地说了句："再见，先生。"

我把门关上。正当我要走开的时候，身后传来他在房间里放声大笑的声音，听着真让人不舒服。

下楼时，我觉得自己真是蠢透了。没有打探到消息，反而被人家打探一番。没有巧妙地从对方那里挖些有用的信息，反而陷入被动，像在证人席上一样，恭顺地回答着各种问题。最后，他居然还贿赂我。显然，此人已经看出这场入室抢劫是我刻意伪造的。他跟科赫一样，把我想象成了技术不精的骗子。真是个精明的家伙！可怜的席姆勒，还想扰乱这种人的视线，胜算太小。接着，我又跟往常一样，脑子里想着那些刚才本该说出口的话，奈何我脑子转得太慢。我就是个笨蛋，是个傻瓜。

在大厅，我遇见了斯凯尔顿。

"喂，"他说道，"您看上去很苦闷，就像一块从去年夏天运动服里掉出来的手帕。发生了什么事？"

"因为这场雨。"

"科赫说，这雨下不了多久。想想明天是个好天，心情就会好些。我妹妹正在休息区等着点饮料。您能帮我点一杯味美嘉喜鸡尾酒？我一会儿就回去。"

他一溜烟地跑上楼。我转身往休息区那边走去，心里想着，真不愿去想明天的事。

杜克洛正满脸通红地耍宝，逗玛丽·斯凯尔顿开心。

"你应该说'l'amoo-ur'。"他一边用法语说，一边顽皮地做着动作：用手指把这句话从嘴里拽出来，像拽口香糖那样。

"L'amoo-ur。"女孩跟着他读。见我过来，她绝望地瞥了我一眼。

杜克洛先生架势十足地拍了拍她的肩膀。

"好多了，小姐，好多了。"他看了看我，"这么一位漂亮的小姐，当然要学会说这句话。您说是不是，我的朋友？”

我咕哝了几句。

“看在老天的分儿上，”她说道，“请您帮我把这个可恶的老家伙支开。沃伦一离开，他就一下子过来这里。”

“那我们就一直讲英语，等到他不耐烦了，自然就走开了。您想要喝点儿什么？”

“音语，音语！”杜克洛先生友好地笑了笑，“我会嗦音语。”[1]

“我要点杜本内酒。”

“您说什么，这位美国小姐？喂！”

“我刚才碰见您哥哥了。他想点味美嘉喜鸡尾酒。”

杜克洛先生哈着腰站在我们中间。

“喂！维尔松内总统（发音与味美嘉喜鸡尾酒接近），很好，嗯？”

“为什么会提起这个？”女孩小声说了句，“我觉得，瓦达西先生，让这个老家伙知难而退这件事，您是不是想得太过乐观了。”

“给他点儿时间。”

这时，只见杜克洛先生清了清嗓子：“罗斯福总统，也很好。好吧！”

她咯咯地笑着：“这样是没用的。还是请他喝杯饮料吧，怎么样？”

“我也这么想。”我转过身去问他，“您要同我们一起喝点儿饮料吗，先生？”

“十分乐意！”说着，他赶紧找来一把椅子。“我要来一杯潘

1　本句中，杜克洛先生的英语发音不标准，故将原文“speck Endleesh”处理为“嗦音语”。

诺。这位小姐的法语很好，只是说得太少。"他捋了捋胡子，"一定得勤加练习才行，小姐。除了法语之外，其他什么都不要说。对您来讲，瓦达西先生是个累赘。"他斜了我一眼。

幸好这时候弗格夫妇过来了，先生穿着一身黑灰色西装，高立领，戴着浅黄色的领结；夫人穿一件样式特别的小礼服，四周散落着一缕一缕的印花雪纺纱。两个人都笑得很开心。

"天哪！"女孩轻声说道，"看来，我需要喝点儿东西压压惊。我觉得，应该把他们也叫上，凑场派对。这回该沃伦请客了，别忘了。"

"用不了多少钱，他们喝啤酒。"我站起身，邀请大家过来。随后，他们就都笑呵呵地聚拢过来。

"这样的天气开派对？"他由衷地问了句。

"是的，没错！这位小姐真是太客气了，邀请我们去她那里。"

"真是太客气了。谢谢您，我们就来点儿啤酒吧。"

"我是说，"杜克洛先生辩解道，"一直和瓦达西先生说话，对您是不利的。就应该只讲法语。这样会更好。"

"无论这位小姐讲什么语言，都很迷人。"弗格插话道。"不过，"他又冷静地补充说，"我觉得，我应该教这位小姐说点儿德语。"他一边说，一边捅了妻子一下，随后，两人又是一阵大笑。

我在中间做他们的翻译。

"您可以跟他说，"女孩说，"我觉得他这个人很招人喜欢，还有，我很喜欢他系的这条领带。"

"斯凯尔顿小姐接受了您的提议，并向您表示感谢。"

弗格高兴地拍了拍膝盖，紧接着又是一阵笑声。这时候，斯凯尔顿回来了。

"看来，这场派对要由你来主持了。"女孩解释道。

他过来扫视了一圈。"一群在大厅欢呼雀跃的小伙子，"他一本正经地说了句，"再加上这位瑞士女士，凑的数字不错。妹妹，点饮料了吗？"

"哥哥，他们还没有点。特威丹和他妻子[1]要点啤酒，右边这位法国老伙计要点潘诺。我来点杜本内酒，还有——您呢，瓦达西先生？"

我还没来得及回答就被打断了。一名服务员穿过休息大厅，来到我跟前。

"打扰了，先生，有人打电话找您。从巴黎打来的。"

"电话？找我的？你确定？"

"没错，先生，是找您的。"

跟大家打过招呼后，我就去了办公室，把身后的门关上。

"喂！"

"喂，瓦达西！"

"哪位？"

"我是警长。"

"服务员说是从巴黎打来的电话。"

"是我让话务员这么说的。你是一个人吗？"

"是的。"

"你听说有谁今天要离开储备酒店吗？"

"英国夫妇明早要离开。"

"再没别人？"

"嗯。我明天离开。"

"什么意思？得到许可之后你才能离开。你知道，这是贝金先生的指示。"

1　指那对瑞士夫妇。

"我被下达了逐客令。"

"谁给你下的逐客令？"

"科赫。"说着，这一整天的艰难困苦、压抑着的情绪全部涌上心头。我简要而心酸地汇报着任务（早上贝金交代的任务）的完成情况。

他静静地听着。然后说：

"除了英国人，你确定再没有人离开酒店吗？"

"其他人倒是也有离店的可能，不过我并没有听说。"

接着，又是一阵沉默。最后，他说道：

"很好。目前就这样吧。"

"可是，我接下来该怎么办？"

"你会在适当的时机接到进一步指令。"

说完，他挂了电话。

我可怜巴巴地盯着电话。我会在适当的时机接到进一步指令。好吧，我已经无能为力了，认输了。紧接着，我把电话放回原位，慢慢站起身。今晚的某个时候，我本该打包行李的。不过，事已至此，索性去喝一杯。喝点儿酒还是有好处的。要好好对自己。

正当我转身离开时，我再次注意到墙上贴着的那张伊斯特利亚—科苏利希航线时间表，一天之中，我已经看过两遍。我也不知道自己为什么这么做，不过，我又大致瞥了一眼。紧接着，我的心跳骤停了几下。在众多航线中，有一条航线赫然引起了我的注意。

我自己轻轻地读出声来。

"萨伏伊伯爵号"西行线。始发站为热那亚，时间：8月11日。途经路线：维勒弗朗什，8月11日；那不勒斯，8月12日；直布罗陀，8月13日。最后，于8月19日抵达纽约。

听斯凯尔顿兄妹说，下周他们的父母要乘坐"萨伏伊伯爵号"轮渡到马赛，他们要去那里接他们。

怎么会这样？首先，"萨伏伊伯爵号"根本就不停靠马赛；其次，到了下周，轮渡早就驶出3000英里[1]以外了。是他们撒了谎。

---

1 1英里约合1.6公里。

16

离家出走的兄妹

我回到休息区，有了这样的发现，总觉得自己应该做点儿什么，只是，脑子里一点儿思路都没有，不知该怎么办。

斯凯尔顿兄妹！怎么可能？不可能。可是证据确凿，他们有所隐瞒。突然间，我脑中闪现出杜克洛先生在露台上举起相机给他们俩拍照时的情景。他们找了个可笑的借口，说不愿拍照。如果他们只是一对普普通通、为人敦厚的兄妹，为什么会有这种反应？还有，他们为什么会引用一条意大利航线？难道，在编造谎言时，是单纯出于个人偏好才下意识地选了这个国家的航线？可是，他们的姓氏"斯凯尔顿"跟意大利没有丝毫联系，而且我还发现，"克兰顿-哈特利"也跟意大利没有丝毫联系。此外，他们的相机是柯达雷汀娜，而我要找的是康泰时蔡司。不过，无论多细小的线索，我都不能忽视。问题是：我是应该拿证据直接跟他们对质，还是应该去他们的房间搜一搜相机？必须得做点儿什么。没错，必须得做点儿什么。可是，做什么呢？我又拿不定主意。

等我回到座位上时，饮料已经送来了，杜克洛先生正发表着长篇大论。服务员转身离开时，我点了杯啤酒。见中间有人打断，杜克洛先生皱起了眉头。

"如果，"他自以为是地说道，"法国工业——从一名商界人士的角度来看——法国工业界一旦妇人之仁，怜惜政府部门那些小蝼蚁，那么由君主建立起来的整个法国金融系统将遭受重创，难逃灭顶之灾，连带欧洲都会跟着毁灭。灭顶之灾。"他意味深长地重复道。

弗格夫人在一旁忧心忡忡地啧啧了两声。

"如果，"这位发言人继续虚张声势道，"工业无法从政府干预的束缚中解脱出来，无法从煽动者所搞的那些颠覆性破坏中谋得生路，那么整个工业界将连同教会与举国上下所有同志——这些人一致认为，政府部门的首要职责是维持法律秩序，而非其他——肩并肩，奋起反抗，同仇敌忾。我们会同心协力，共同抗击那些反对者。我们这些商界人士就是国家的脊梁，是国家坚定的力量、强大的后盾，用来对抗那些对我国领土虎视眈眈的外来侵略者。无论对内还是对外，法国必须强大。"他停下来，喘口气。

这时，斯凯尔顿兄妹为他热烈鼓掌。

"他说的话，一半以上我是听不懂的，"哥哥小声对我说，"不过，的确是很精彩的演讲。"

"很有激情，"弗格说道，"作为一个瑞士人，我同意他的说法，法国的强大是维持欧洲和平的保证。不过，我觉得这位先生夸大了边境的威胁。即便德国有这样的想法，我觉得它也不会轻易进攻法国。正如这位先生所说，危险是源自国内的。某些人士那些不计后果的尝试早已威胁到了法国的稳定。我们瑞士人其实很担心法国货币的安全问题。"

"没错，的确！"

杜克洛先生随即又开始为其原始论点展开辩护。我一边抿一小口新送上来的啤酒，一边悄悄地观察起斯凯尔顿兄妹来。

看来，这三位宾客是他们请来取乐的。两个年轻人忍着笑，棕褐色的脸憋得通红。要说他们之中的某一个是间谍，总觉得这想法有些荒谬。可再一细想，要说他们撒谎，这想法岂不同样荒谬？然而，他们确实说了谎。或许，是他们的口误。或许，是我弄错了。或许，是船务公司的失误。可是，这种事情是不存在的！这种想法本身就很荒唐。而且，退一步讲，端正的五官和被晒黑的皮肤跟撒谎有什么关系？五官长相是生下来就有的，肤色是后天形成的。看来，我必须得做点儿什么。

没想到，机会来得比预想的要快。

杜克洛先生正要进行他的第三轮演讲，这时，晚饭时间到了。

餐厅比露台的面积小，只摆了四张桌子。等我们这一席人到的时候，其中的两张桌子已经有人坐了：克兰顿-哈特利夫妇一张桌子，鲁和马丁小姐一张桌子。杜克洛先生跟弗格夫妇坐到一起。我则跟斯凯尔顿兄妹去了最后那张桌子。

沃伦·斯凯尔顿一落座，赶紧松了口气。

"杜克洛，"他说道，"是个不错的老头。但是，不能一下子对他太好。看他刚才，说了那么多废话！"

"难道您不同意他的说法吗？"

"同意什么？我甚至都搞不清楚他对政府部门的态度，到底是支持还是反对。"

"那么，亲爱的哥哥，"女孩说道，"你又怎么知道他说的都是废话？"

"看他说话时的样子就知道。"

"你还真是愚蠢。瓦达西先生，那个法国老头说的话到底是不是废话？"

"老实讲，我刚刚没太仔细听。"

"回答得漂亮！"哥哥评论道，"不过，这刚好证明了我的观点。他也没在听那老家伙讲话，因为根本不值一听。都是废话。您就承认了吧，瓦达西先生。"

"实际上，我一直在想刚刚接到的那通电话。"

"是坏消息吗？"

"坏消息，不过倒不在意料之外。我明早就要离开了。"听完这话，兄妹俩不约而同地惊叫起来。

"太糟糕了，"女孩说道，"我们没有能说话的人了。"

"或者说，没有能一起喝酒的人了。"

"或者说，没有人给我们做翻译了。"

"难道不能再多待个一两天吗？"

我遗憾地笑了笑："对于你们来讲或许是件好事。要想学好法语，就得开口说。在这件事情上，杜克洛先生说得没错。虽然，我也不想跟你们说'再见'。可是你们不是也要和父母去巴黎了吗？他们下周就到，不是吗？"

只见哥哥稍作犹豫，快速瞥了妹妹一眼："是的，没错。不过，我猜，我们应该很快就会离开。其实，他们只是顺便到那里看看。"

"真遗憾。我还想带你们俩逛逛巴黎呢。他们预计什么时候到？"

他耸了耸肩："嗯，我也不清楚。他们的船什么时候到来着，玛丽？"

"星期四到马赛。"妹妹踢了他一下，把他吓得一激灵，"连这都忘，真有你的，沃伦。瓦达西先生，看他这亲生儿子多不贴心。他一个多月没见到亲爱的爸爸妈妈，就连他们什么时候来都给忘了。我们今晚吃什么？"

接着，他们又扯回到日常琐碎的话题上，他坚持要点一瓶储备酒店1929年的珍藏版葡萄酒——产自庞特卡奈庄园的"祝宾客一路平安"。他还说，今晚这些酒都由他来买单。过了一会儿，我打算再作一番试探。

"对了，"最后，我终于有了开口的机会，"我怎么没听说那条意大利航线会停靠马赛？我记得应该是停靠维勒弗朗什吧。"

只见他正要拿一叉子鸡肉往嘴里送，手刚抬到一半就停住了，随即看了看我。

"或许您说得没错。为什么想起问这个？"

"我记得您说过，你们的父母要乘坐'萨伏伊伯爵号'轮渡过来。"他看了看妹妹。

"我说过吗，玛丽？"

她摇了摇头："我不记得了。"

他把鸡肉放进嘴里："肯定是别人说的，瓦达西先生。"

"有可能。我还以为是你们告诉我的，不知哪里来的这个印象。"

他一脸警惕地瞥了我一眼："我可能是这样说的：他们会搭乘一艘外国轮渡过来。"

"别怪我没警告过你，"妹妹赶紧插话道，"看哪，美利坚合众国到处都是误解我们沃伦的人。我想再让他们加一些鸡肉，你觉得他们会介意吗？"

"你可是越来越胖了，"哥哥评论道，"我今天才注意到。我还自言自语说：'我的妹妹玛丽越来越胖了。'对，我就是这么说的。"

"你自言自语，玩得还挺开心。那么，你就没有替我辩解一下吗，还是说，无论什么时候，你都只会说'没错'和'就是这样'？"

"嗯，没错，我替你辩解了。比如，我今天说：'是的，先生，她肯定是越来越胖了，可是当你告诉她这件事的时候，她会非常生气。'我说得没错，对吧？"

"不。我真没有生气，只是觉得愧疚。"

就这样，晚餐在一片笑声中进行着，不过，我注意到，女孩好像不太想说话，而且她的开心显得有些刻意。当我问他们愿不愿意跟我一起到休息区喝杯酒时，她先是犹豫了一下，然后同意了。等我们起身离开时，弗格夫妇已经走了。

马上要出餐厅时，她停住了。

"我可不喜欢像这样被困在屋子里。沃伦，去看看外面还下不下雨。"

他跑到窗口，往外张望。这时，我发觉女孩拉住了我的胳膊。我一惊，转过身去。她警惕地皱着眉。

"瓦达西先生，我要跟您谈谈。"她赶紧在我耳边小声说了句，"找个理由撇开沃伦，再回这里。一定要让他待在休息区。"

还没等我回应，哥哥就回来了。

"我觉得，还在下小雨，只是天太黑了，看不真切。总之，到处都滴着水，湿漉漉的。我觉得，我们今晚只能待在屋子里了。"

"好吧。你们俩先过去，我随后就到。我想去拿件外套。"

于是，哥哥和我就先行一步，去了休息区。我先点了三杯白兰地，然后以回房取烟为由离开了，随后朝餐厅那边走去。妹妹正在餐厅门外等我。见到她时，她有些上气不接下气。

"去哪里谈才能不被打扰呢？"

"英国夫妇在写字间里。"

"那，如果您不介意的话，我们就站在这里说吧。"她警惕地环顾了一下四周，"如果有人看见我们，会以为我们是刚刚在楼梯遇到的。"

我心里有些不解和怀疑。

"我不明白……"

"我能理解您此刻的心情，"她赶紧插了句，"请听我说。再不抓紧时间，沃伦会对我们起疑心。"

我附和着点了点头。

"是这样的，"她说道，"我们的确说过我们的父母会乘坐'萨伏伊伯爵号'轮渡过来，可是您是怎么发现我们在说谎的？您已经发觉了，对不对？”

"是的。办公室里有一张航线时间表。从热那亚始发的'萨伏伊伯爵号'轮渡昨天就到了纽约。"

"这么说，您是在故意调查我们？"

"调查？没有，我是碰巧看到那张表的，仅此而已。"

她松了口气："好吧，总之，谢天谢地。我早就跟沃伦说过，他就是个不会说话的傻子。可他自己非要编出个什么靠谱的理由。我想说的是，家里人谁都不知道我们在这里。若是沃伦发现我把这件事告诉了您，他一定会发疯的，不过话说回来，他脑子不太灵光。但我知道，如果不把这件事告诉您，让您站在我们这边，那么到最后，等您发现时，这就彻底成了误会。"

"我还是不明白。"

她认真地看着我说道："我知道。这一切就像团乱麻。是这样的，在美国，沃伦和我是新闻焦点。这一切都要从我母亲说起。她是个非常了不起的女人——至少，沃伦这么说。我们的父亲在费城有一家汽车修理厂。虽说规模很小，却很赚钱，我们从小到大都是一对幸福的孩子。如果不出意外，我们很可能会和同一条街上另外一家的一对子女结婚，事情本该如此。可是，父亲去世了。这是场突如其来的变故。他是在自己办公室门外被一辆运奶的卡车撞死的。后来，一切就都变了。总之，这都是老套的故事了。我们的花销一直都很大。所有东西都被抵押了出去，房子、厂子、保单，所有的一切，到头来变得身无分文。

"沃伦当时还在上大学，母亲用我们仅剩的一点儿钱勉强供他读书。他当然很气恼，想当个小大人，要赚钱养我们。母亲让他去试试。可是，恰好赶上经济大萧条，他没能找到工作。于是，母亲让他继续回学校去读书，他便回去了。"女孩笑了笑，"也不能怪他。您不了解我母亲的为人。"

"总之后来，我和她去了华盛顿。她说，她在华盛顿有一位老朋友，能帮助我们。那时，我只有18岁，心智却像一个10岁的孩子。可即便如此，我都看得出来，那绝不是普通的老朋友。其一，他是个名副其实的大人物——试想，有几个老朋友会是那样的大人物；其二，他对母亲的好感是显而易见的。不到6个月，他们就结婚了。"

她冷笑了一下。

"嗯，后来，事情是这样的。以前，斯凯尔顿这个姓氏只在父亲去世的时候上过新闻。那也只是在当地讣告上刊登了六行字而已。可如今，城市报纸也纷纷刊登起我们的消息。虽然我那位继父心地很善良，却是华盛顿的一位要人，就是那种一句话就可以影响到美国政府下一步走向的人。各大报纸总会报道说，他在这件事上的看法如何如何，在那件事上的看法如何如何。所以，他的一言一行都很谨慎。每次从大型会议现场离席时，都得注意自己的表情。如果表情严肃，那些新闻记者就会说，本次会议召开得并不顺利。实际上，他只是有些消化不良。可是，记者们并不了解这些，所以他只好面带微笑。他总是把微笑挂在脸上。嗯，当然了，有那样一位继父在身边，我们也连带着受到不少关注。刚开始感觉不错。到处都有人拍我们。哪怕我换个发型，《辛迪加妇女特刊》都会为此专门写一篇报道。沃伦也总被人抓拍。通常都是戴马球帽时被人拍到。以前，我们以此为乐。

"打从一开始，母亲就掌控着一切。她做事很巧妙。在她旁边，我总觉得自己就是个彻头彻尾的呆瓜。她的掌控手段从不会让沃伦和我觉得不舒服。她几乎掌控着所有人，包括继父，之所以这样，是因为你根本就意识不到自己被她掌控。我们做这些都是为了取悦她，而她的反应也总是那么让人舒服。"

这时，她身后传来一阵脚步声，是鲁和马丁小姐从餐厅出来了，正要下楼去。她警觉地瞥了他们一眼。"我得赶紧说了。沃伦等会儿一定会过来找我们。"她深吸了一口气。

"我刚刚说到，母亲喜欢掌控我们，而且我们也总是很听话。嗯，不过现在不是这样了。这辈子，我们第一次瞒着她做了些事情。

"是这样的。大约在6个月前，母亲和我进行了一次促膝之谈。长话短说就是，她为我选了一位丈夫。他的名字叫柯蒂斯，家族地位非常显赫，他很有钱，长得很帅。母亲知道我喜欢他，事实也确实如此，如果我能和柯蒂斯走到一起，她一定开心得不得了。她以为柯蒂斯对我很上心，因为柯蒂斯的母亲是这样说的。至于我的想法？

"嗯，老实说，我没想太多。他看上去是那种平易近人、亲切、和蔼的年轻人，有一份政府部门的闲差，在华盛顿四处游荡，聊起天来幽默风趣。虽然算不上是那种铁骨汉子，却有一种令人无法言喻的善良。继父也很喜欢母亲的这个主张。他那么忙，居然还会考虑跟母亲结婚，也真是神奇。不过，他特意强调过，说我碰到了一件天大的好事。当时，我觉得他真的很贴心。

"一开始，我就应了这门婚事，您或许觉得我有些愚蠢。可是，我之前也说过，您不了解我母亲的为人，不了解华盛顿。在他们眼里，女孩子们就该找一个不错的人结婚。若非如此，人们便会议论纷纷，说这一家子肯定有什么问题。是时候由我为这个家做些事情了，这或许也正是母亲的意思。老实说，我当时并没有这种想法。母亲很聪明。她总是有办法让你按照她的想法做事，还会让你觉得这本就是你自己的初衷，她太了不起了，手腕着实厉害。我甚至欺骗自己已经爱上柯蒂斯了。我原本以为，如果一个人从未真正爱过，她就很容易爱上一个人。他为人十分亲切。我们经常一起出去玩。后来，我们举行了盛大的订婚宴，我觉得我已经做得很好了。

"可后来，我们并没有走到一起。"女孩故意躲开我的目光，"大约在婚礼前三个星期的时候，我发现了一些有关柯蒂斯的事。或

198

者说，是沃伦发现的。我没那么聪明。我发现，柯蒂斯并没有看上去那么和蔼可亲，而且离这个标准差得很远，实际上，他做的那些肮脏事简直是我闻所未闻的。我就不说具体细节来恶心您了，不过，请相信我，这些都是丑事，丑到让我觉得恐惧、羞耻。不过好像除了我和沃伦以外，大家都心知肚明，我们的婚约像是一场笑话。不仅如此，就连母亲和继父也都知道这些事。

"后来，我们去找他们，跟他们大闹了一场。他们表示深切的同情。可是，当我说要悔婚时，他们的脸拉得老长。沃伦被继父拉到一边，母亲又跟我进行了一次促膝之谈。不过这一次，她要比上一次坦诚。她说，我有责任站在柯蒂斯的角度考虑事情，有责任协助他成为真正的男子汉。他需要我。这一切都是我的责任。我依旧不同意。于是，她告诉我，有时候，人都要做一些违背自己意愿的事情，比如，她和继父结婚，为的就是我和沃伦，这一次，该轮到我做出一点点牺牲作为回报了。她说，她以为我早就了解柯蒂斯的人品，说我没有悔婚的话语权。可是，我奋力抵抗，于是，我人生中第一次见到母亲发火。后来，她就彻底跟我坦白了。她说，我跟柯蒂斯结婚意义重大，但真正的意图并不是让我协助他成为真正的男子汉。真正的意义在于，出于某些政治目的，继父要拉拢柯蒂斯的父亲。如果我在这个时候悔婚，那么那些重要的筹谋就都灰飞烟灭了，柯蒂斯的父亲本就十分介意别人提起他儿子那些可爱的小毛病，若因此事悔婚，他一定会变脸，不会让继父有好果子吃。

"我说，我会再考虑一下。在接下来的两三天里，他们俩就一直看着我，像巷子里一对饥饿的猫盯着老鼠一样，却口口声声说自己绝无恶意。其实，这件事我已经想过了。我不会就范。可我找不到解决的办法。最后，是沃伦想出了这个主意。

"一开始，我们能想到的办法就是去教训柯蒂斯一顿，不过后来，哥哥放弃了这个想法，开始另寻出路。他想事情还是很聪明的，比他说话时机智得多。他是这样想的：一方面，只要我待在母亲身边，她就会一直软磨硬泡，直到我同意；另一方面，如果我毁了婚约，那么一向善待我们的继父将遭受严重的牵连，会引火烧身。所以，哥哥的计划是这样的：我们悄悄地溜到一个他们找不到的地方，之后再发两封宣独函，一封给母亲和继父，威胁说，除非他们让步，否则我会公开悔婚；另一封发给柯蒂斯的父亲，威胁说，若胆敢采取报复行为，我就立即把柯蒂斯那些丑事爆料给媒体。而我们向双方提出的条件是，公开发表声明，表明双方已达成共识，决定取消婚约。

"这件事还是很冒风险的，因为柯蒂斯的父亲在媒体界很有影响力，我们担心他从中作梗。您也知道，像我们这种重磅新闻，总有可能让一些精明的媒体人挖掘出真相。若是让这种事登上头条，恐怕继父的前途也就跟着被葬送了。可是，要么冒此风险，要么老老实实地待在华盛顿，陷入一种再也无法摆脱的困境，这同样也是一种风险。您也看见了，酒店门前的脚踏垫上总会有这类报纸。继父将此境况称为'荆棘满途'。

"于是，我们决定执行沃伦的计划，这才来到欧洲。没有人知道我们在这里。他们也不会派私人侦探来追踪我们。去年我们去拿骚旅行的时候申请过护照。等一切准备妥当，我们就跟他们说，要去费城祖母家待几天。母亲不喜欢那里，因为祖母和她老早就不和，所以她不好说什么。于是，我们打包好行李，去了蒙特利尔。在那里，我们上了一艘开往利物浦的紧急船只。接着，我们从利物浦去了伦敦，又在那里听说了这个地方。一路上，我们只和斯凯尔顿祖母保持联系。昨天，我们刚从她老人家那里得到消息说，柯蒂斯的父亲与我们的继父彼此之间的矛盾已得到化解。目前唯一令人担心的就是媒体方面，若被它们发现这两位一直在解除婚约这件事上欺骗了公众，根本就没有达成什么共识，那么后果将不堪设想。大家都以为我们现在在加拿大。其实，继父也以为我们在加拿大。如果有人把消息放出去，说我们此刻在这里，那么他就有大麻烦了。别人都会把他当傻子看。您也知道老家那边的媒体是个什么嘴脸！我觉得，我们可以相信您，您不会透露半个字。"

我静静地听着这番无厘头的陈述。我挠了挠脑袋："嗯，斯凯尔顿小姐，能得到您的信任，我倍感荣幸。可是，说实话，我不知道您为什么会如此在意我对这件事的态度。"

她会心一笑："我就知道您是个善解人意的人。沃伦担心我会把这件事告诉您。可我觉得，告诉您反而更安全。他说，记者在做新闻报道时完全是没有良知的。"

"他们就是没有。"一个尖锐的声音说道。

顿时，我们俩就像两个犯了错的孩子一样猛地一回头。

只见沃伦·斯凯尔顿正站在下面的台阶上，一脸的严肃。

"原来你们俩一直都在这里。玛丽，你真把这件事告诉他了？"

"是的，沃伦，而且他保证过……"

"他保证过？"他不耐烦地打断妹妹的话，"玛丽，我真心觉得你应该理智一点儿。"

"请允许我……"我开口说了句。

"我知道，"他生气地说道，"您想拍张照片。"

"听他说，沃伦。"

"闭嘴！你已经把事情都告诉他了，恐怕他是要拍照片吧？"

"他不想拍照。"

"不想？他不想，难道他会跟我见过的那些媒体人有什么不同？"

"请听我说……"

他抬起手。"瓦达西，没有用的。拍照的事就别想了。只要让我发现你拿着相机，我一定把它摔碎。还有，"他言辞激烈地补充道，"我可不敢保证会不会把你也揍一顿。"

"沃伦，别孩子气！"

"孩子气！难道我喜欢这样吗？我，孩子气？玛丽，如果你真以为只要瞪他几眼就能阻止他用好的新闻题材去赚钱，那么你真是疯了。哼，恐怕连英国报纸都会报道这件事。'美国议员的女儿离家出走。'老天！"

我拉住他的胳膊："请听我说，好吗？"

"好，我听着。我听，行了吧。你想说什么呢？想要我在这篇报道上署名吗？如果那样的话……"

"我让您听我说。"他终于安静下来。"这样就好多了，"我冷静地说道，"您二位为什么会认为我是记者？若不介意，请明白地告诉我，我将不胜感激。"

他不耐烦地哼了一声："大家都知道你是记者。"

"如果我说，我绝不是记者呢？"

"哦，我的老天……"但女孩打断他的话。

"你先等一下，沃伦。"她死死地盯着我说道，"您的意思是，您其实不是记者？"

"不是。"

"可我们听说……"她犹豫了一下，"我还以为'journaliste international célèbre'是'知名记者'的意思，难道不是吗？可能是我们法语不够好，没听明白，可是我们确实听别人这么说。"

"翻译得没有错，可是……"

"我们听说，您在这里用的是假名，与人聊天时，唯恐会被问及自己的工作。那人还说……"她停住了，兄妹俩慢慢转身，一脸茫然地对视了一下。

"好吧，那我……"

"等一下，"我有些气恼地说道，"这些都是谁告诉你们的？"

兄妹俩惊讶地看着我。

"您是说，您不知道？"

"我当然不知道了。"我假意说道。

兄妹俩咯咯地笑了。

"是那个法国老头，杜克洛。"

几分钟后，我们回到座位上，刚刚点的白兰地还没来得及喝。服务员主动提出要再去给我们取些咖啡。

"来，"斯凯尔顿将酒杯端到嘴边，"这杯敬您，瓦达西先生。明天的这个时候您就要火速赶回去上您的外语课了，我们还要再等等，等家里的长辈们稍微冷静些了再说。"

"但愿能像您说的那样。"

"嗯？他们为什么就不能冷静下来呢？"

我看了看这对兄妹。两人都是棕褐色的皮肤，眼神里充满了青春活力。他们很幸福。突然间，令人好生嫉妒。

我带着哀怨的口气说："我担心的不是你们华盛顿那边，而是法国这边。没错，明天的这个时候，我可能会赶回去上班了吧。但愿能像您说的那样。不幸的是，我更有可能会进监狱。"

说完这番话，我觉得好惭愧。言语那般莽撞无礼，且心怀妒意。只因为看他们过得太幸福了……不过，看他们俩此刻的状态，我不必再自责下去了。

两人礼貌地以笑回应，显然是没把我的话当真。

屋子里有些闷，我起身又去开了一扇窗户。"要知道，"我听见哥哥小声对妹妹说道，"一定是我的问题。这些笑话，我好像永远都找不到笑点。"

17
收到指令

钟声响了九下。声音尖细，又十分轻柔。

此时，我终于能清晰地看到舞台全貌了。人物轮廓不再模糊，一切都对上焦了。好像是在透过一台立体镜，观赏着这件完美的彩色房屋复制品以及里面的人。

雨停了，又吹起了阵阵和暖的微风。屋子里闷热得很，像蒸笼一样，窗户都大敞着。室外四周墙上的洛可可式架子里放着电"蜡烛"，藤蔓植物那湿漉漉的叶子在烛光中闪烁发亮。再往露台上的石制栏杆那边望去，月亮正从杉树丛中升上来。

斯凯尔顿兄妹和我就坐在窗边，剩下的一点儿咖啡放在我们面前的一张矮桌上。对面，鲁和马丁小姐在打俄式台球。他俯下身子，手把手教她用球杆，我恰好看到她故意把身体贴在他身上，她还迅速地瞥了一眼四周，看有没有人注意到她的这一动作。在另一处角落里，也就是大厅门口附近，还有两伙人。杜克洛先生一边拿他的夹鼻眼镜捋胡子，一边用法语跟弗格夫人交谈，那位夫人正听得出神。弗格先生正在用蹩脚的意大利语跟克兰顿-哈特利夫人聊着什么——克兰顿-哈特利夫人一反常态地活跃——少校在一旁听着，嘴角挂着一丝浅笑。看来，只有席姆勒和科赫不在。

我依稀听见斯凯尔顿好像在跟我说，鲁和杜克洛两人彼此都不理会对方。其实，我没仔细听他讲，而是在观察周围的这些面孔。九个人。我都跟他们聊过了，也观察过他们的举动，听过他们讲话——可此刻，我对他们的了解依旧停留在那一天——仿佛是好久之前的事——我刚到储备酒店的那天。没收获更多的信息吗？这么说好像也不太对。他们之中某些人的经历我是深入了解过的。比如，那位少校，比如斯凯尔顿兄妹和杜克洛，以及席姆勒。可是，我真知道他们在想什么吗？知道那些假面背后隐藏的真正目的吗？一个人对自己过往行为的表述，说到底只是对自身态度的一种表述，就像他脸上惯有的表情一样，仅仅是面部表情而已。这就像看一个立方体一样，最多能看到它的三个面，人也一样，不可能观察到他的全貌。内心活动这种东西，它拥有无数的维度，就像是一种永无休止地流动着的液体，不可测，不可解。

少校嘴角依旧挂着一丝浅笑。他的妻子跟弗格说话时微微摆动手臂，貌似，第一次见她这样有活力。没错！一定是有人借了钱给他们。会是谁呢？对此，我一无所知，甚至无法做出合理的猜测。

杜克洛早已把夹鼻眼镜放回到鼻梁上，他正傲慢地昂着头，听弗格法语的喉音发音。鲁的眼睛死死地盯着桌上的球，正要出杆。我观察着这些人，他们都很专注。此刻的我，感觉就像在玻璃窗（把音乐隔绝掉）外欣赏一群舞者跳舞一样。这些无声的举动看似有些怪异，却极为肃穆……

斯凯尔顿兄妹突然哈哈大笑起来。我不知所措地转过身来。

"抱歉，"他说道，"不过，我们一直在观察您的脸，瓦达西先生，拉得越来越长。我们都害怕您会哭出来。"

"我在想您妹妹刚刚跟我说过的话。"我撒谎道。

"我不该那样。我们不是有意的。"他一下子严肃起来，"您知道，我们本该启程回家的，确实应该回去。可不知为什么，这个地方很吸引人。不只是阳光和大海，不只是这里的色彩与烹饪。还有……"

"他是想说，"女孩插话道，"我猜，他已经想了五分钟，其实，他想说的就是——圣加蒂安这里的氛围很棒。"

"划算，"他一脸正经地说道，"价格很划算。这也正是我不愿说出口的原因。不过，这样形容是最贴切不过的了。看看今晚，看看此刻。暖暖的，花园里飘来阵阵鲜花和松脂的香气；人们在闲聊，灰色的天空中布满了星星和一弯明月。多好啊，就像画上的一样。在加利福尼亚也能看到这样的景致。只是，这里不一样。至于到底哪里不一样，可能是法国烟草与其他气味混合在一起的味道，可能是这里人们的穿着，可能是这里的食物对人的胃液施了什么魔法。我也说不好。我只知道，在这里，我能找回儿时在黄昏中的感觉。就像在看电影一样，他们把灯光打暗，你静静地等着，等银幕上的画面出现。"

"好吧，你是这么想的，我敢说，是这里的食物让你着迷。"

"他应该去找海因伯格聊聊。"我说。

"谁？"

"海因伯格。"

"您是指那个总喜欢独处的瑞士人？"

"没错。他会说，您哥哥已经看出了欧洲溃败的迹象。"

"这话听着真舒服。"

"在我看来，他这番话很有道理，"斯凯尔顿反驳道，"我要说的是，如果贫嘴的小妞儿不打断我的话，我倒是很想借普鲁斯特的作品谈谈类似的感受。"

"老天！"

"欧洲，"斯凯尔顿力争道，"就像一个老人，一个脏兮兮的老人，一个易怒的老人。哪怕手上爬过一只苍蝇，他都会暴跳如雷。不过，令其烦闷的根源并不是苍蝇，而是他的内在机制。可惜，已经无可救药了。他正在逐渐失去生命的迹象，临死前，他会变得越来越烦躁易怒，不停地咒骂苍蝇。不过，待弥留之际，他会最后发一通火，开始砸东西。”

“普鲁斯特又是什么人？”

“他就是那个，趁老人身体状况还没差到极点，赶紧制作些漂亮的剪贴簿，哄老人开心的人。”

“我的老天！”

“闭嘴，小傻瓜！”

“为什么要我闭嘴？我也可以像某些人那样优雅地失去理智，其实我想说，”她一脸严肃地继续说道，“听你这么一说普鲁斯特，感觉就跟读《星期日报》上的彩色增刊差不多嘛，你会……”

“噢，你个白痴！”

“你太过分了！”

他猛地伸出一只胳膊：“瓦达西先生，我请求您的帮助！”

“没有用。人家也觉得你是个疯子。”突然，女孩的声音一沉，小声说了句，“看哪！又来了一个白痴。”

原来是杜克洛先生，不知是弗格夫人不愿跟他聊，还是他不愿跟弗格夫人聊，总之，他正朝我们这边走来。

“我正好有事要跟他说。”斯凯尔顿冷冷地说了句。

“你们好，我的孩子们，”杜克洛先生亲切地打招呼，“雨已经停了。”

“看他这个样子，一定是又要开始扯谎了。”斯凯尔顿抬高嗓门用法语问道，“先生，您为什么说这位先生是新闻记者呢？”

“你说什么？”

“去他的！他为什么不能讲英语呢？”

“嗦音语！”杜克洛先生笑着说道，像是在逗小孩子。他抬头望了望天花板，在寻找灵感。紧接着，他表情一亮，打了个响指。随即，他语速极慢地从嘴里清晰地挤出了刚刚思考出来的结果。

"Scr-r-ram！"他说道，"Bit it！"

斯凯尔顿兄妹俩无奈地叹了口气。

看了他们的反应，杜克洛先生倒觉得很高兴，紧接着，他朝我这边转过身来。"英语真是门不错的语言。"他捋了捋胡子，"我很喜欢美国电影。绝大多数都很有意思，而且很有思想。面前这两位年轻的美国人就很像美国电影里的人。或许，他们就是演员吧。"

"不，他们不是演员。而且，"我冷冷地补充道，"我也不是什么国际知名记者。"

"您的意思是？"

"有人告诉这两位美国人，我是一名记者。而且，他们仿佛记得，好像就是您说的。"

"我？不可能！我为什么说这种事？"

"我也不知道。不过，只要不是您说的，我就觉得很欣慰了。"我意味深长地盯着他，"等我查出那个人，一定让他好看。"

他一个劲儿地点头："您说得没错。换作是我，也不会轻饶了他。"

"真的吗？"

他安心地坐下来，满脸堆笑地看着我们。

"他说什么？"女孩问道。

"他说不是他告诉你们的。"

"他要么是脑子坏了，要么就是在撒谎。"

"他肯定是疯了。"

杜克洛先生认真地听着。

"这两位美国人太可爱了。"

"是啊，太可爱了。"

"我刚刚还跟弗格夫人聊了一阵。她是一位极聪明的女人。知道吗？弗格先生是瑞士国家电力公司的总经理，是一位非常有名的人物。当然了，我之前就听说过他。他在伯尔尼的办公区还是城中一景呢。"

"我以为他是康斯坦茨人。"

他一脸警惕地正了正夹鼻眼镜："他在康斯坦茨也有一座大豪宅。阔气得不得了。他还邀请我去呢。"

"真为您感到高兴。"

"是啊。当然了，我希望我们能多谈一谈生意上的事。"

"那是自然。"

"生意人的乐趣嘛，我的朋友，就是不断地聊生意。"

"正是如此。"

"再者，我们很有可能成为彼此的助力。合作，您懂吗？生意场上，最重要的就是合作。我就是这样告诉厂里工人的。只要他们愿意与我合作，我就会跟他们合作。不过，他们必须先来找我合作。毕竟，合作这件事可不是单方面就能实现的。"

"当然不能。"

"他到底在说什么？"斯凯尔顿问道，"我听他说了不下十次的合作。"

"他说合作很重要。"

"噢，那他……"

"您知道吗？"杜克洛先生继续说道，"少校和克兰顿-哈特利夫人明天就要离开了。"

"知道。"

"肯定是有人借钱给他们了。很令人好奇，是不是？换作是我，我才不会借钱给少校。他问我借10 000法郎。钱倒是不多，我不该拒绝。但这涉及原则问题，我可是个商人。"

"我记得，他应该是想借2000法郎吧？您之前是这么跟我说的。"

"他提高要求了呗，"他圆话道，"毫无疑问，这是一种犯罪行为。"

"我呢，我倒不这么觉得。"

"识别犯罪分子，这是生意人必备的素质。幸好，英国犯罪分子通常罪行都不算重。"

"哦？"

"这是众所周知的事。法国犯罪分子像毒蛇，美国犯罪分子像狼，英国犯罪分子像老鼠。毒蛇、狼和老鼠。老鼠是一种很简单的动物。除非把它逼得走投无路，否则它是不会反击的。至于其他时候，也只是咬坏点儿东西而已。"

"您真以为克兰顿-哈特利少校是英国犯罪分子吗？"

杜克洛先生慢条斯理、小心翼翼地把夹鼻眼镜从鼻子上拿下来，用它轻轻戳了戳我的胳膊。

"仔细看看他的脸，"他说道，"是不是贼眉鼠眼。还有，"他沾沾自喜地补充说，"这是他亲口告诉我的。"

这太不可思议了。

杜克洛先生的法语语速有些快，斯凯尔顿兄妹跟不上，早就不耐烦了。于是，他们俩找了一本*L'Illustration*[1]，此刻正一面往画中人物的脸上添胡子，一面咯咯地笑个不停。我尝试着引起姑娘的注意，但都没有成功。只好由我一个人应付杜克洛先生了。只见他把椅子蹭到我跟前。

"还有，"他郑重其事地说道，"我是私下里跟您说的这件事。那位英国少校肯定不愿意让别人知道自己的身份。"

"什么身份？"

"您不知道吗？"

---

[1] 一种出版于1843年至1944年的法国画报。

"不知道。"

"啊哈!"他捋了捋胡子,"那我最好还是别说了。全靠我这张嘴保守秘密了。"说着,他站起身,意味深长地看了我一眼,接着就走开了。这时,我发现科赫和席姆勒进来了。杜克洛先生赶紧过去跟他们打招呼。只听他大声感叹了一句雨停了。科赫礼貌地站在原地听他讲,而席姆勒则绕过这两个人,朝我这边走过来。他看上去病得很厉害。

"听说您明天就要离开了,瓦达西?"

"没错,您只听说了这些吗?"

他摇摇头:"不。我想,这个时候您还是跟他解释一下。科赫担心酒店里会有情况发生,而他又摸不着头脑,所以很担忧。或许,您能除去他这块心病。"

"恐怕我做不到。如果科赫想去报警……"

"我明白了!您是警方的人。"

"我是从警察局来的,但不是他们的人。另外,海因伯格先生,我应该提醒您,请不要跟我攀谈太久。今天下午我从您房间离开的时候被人发现了。我还因为此事被一位绅士盘问了一番。"

他脸上的笑容阴森森的,眼神正好与我的相遇:"那么,您回答他的问题了吗?"

"尽量扯谎让他相信。"

"您真是太好了。"他轻声说道。接着,他朝我和斯凯尔顿兄妹点了点头,之后就起身去找科赫了。

"这位就是,"玛丽·斯凯尔顿说道,"那个预言欧洲即将衰败的预言家。他看上去不是很帅,是不是?"

不知为什么,女孩的这番评论让我心中有些不平。"希望有一天,"我脱口而出,"我能亲口跟您讲讲这个人的事。"

"感觉神神秘秘的。您现在不能告诉我们吗,瓦达西先生?"

"恐怕不能。"

"您有麻烦了，"哥哥说道，"看来，您不会有安生日子过了。看哪，玛丽！凸眼睛和小可爱打完球了。我们去打一局怎么样？我们先失陪一下，瓦达西先生。"

"当然可以。去吧！"

他们起身去了台球桌那边，留我一个人在那里想心事。

我跟自己说，这很有可能是我最后一晚自由的时光了。我应该把这些人记在心里，应该把这番场景记在心里：弗格夫妇与克兰顿-哈特利夫妇在一起聊天，一旁的杜克洛先生仔细听着，捋着胡子，伺机插一句嘴；科赫在和鲁以及奥黛特·马丁聊天；席姆勒独自坐在那里，随手翻阅一份报纸；斯凯尔顿兄妹在俯着身子打台球。除了他们，还有温暖、静谧的夜晚，露台上水滴滴落的声音，海水拍打礁石时发出微弱的哗啦声，有星星，还有洒在树丛间的月光。看上去，一切都是那么平静。但实际上，本就没有平静。花园外，昆虫王国的小精灵们正悄悄爬上植物的枝丫与茎秆寻找食物：它们时刻警觉，精神专注，要么捕食猎物，要么被捕食。在这黑暗中上演着各出戏码。没有什么是静止的，没有什么是不动的。夜晚的时光在流逝，发生着各种悲剧。与此同时，屋子里……

屋子对面好像有什么情况。只见弗格夫人起身，站在那里不好意思地冲大家笑。她的丈夫好像在一旁劝她去做什么事。这时，科赫停止了与鲁的谈话，朝弗格夫人走了过去。

"我们大家都很荣幸。"我听他这样说道。

她含糊地点了点头。紧接着发生了一件令我大为震惊的事，只见科赫带她去了靠墙的立式钢琴那里，为她打开琴盖。她很不自然地坐下来，之后开始用她那粗短的手指按响琴键。斯凯尔顿兄妹惊奇地转过身来。席姆勒的注意力也从报纸转移到她身上。鲁赶紧找了把椅子坐下，把马丁小姐拉过来，让她坐到自己膝盖上。弗格先生喜不自胜地看着周围人的反应。杜克洛满怀期待地扶了扶夹鼻眼镜。

弗格夫人开始弹奏肖邦叙事曲。

席姆勒将身子稍稍前倾，看着那僵硬、矮胖的身影，看她弹奏时由于手臂快速移动而导致衣服上的雪纺纱一阵乱舞以致人发笑的场景，他的脸上泛起一种怪异的神情。

看得出来，弗格夫人在这方面是有天赋的。大约，她的确拥有一种奇特的才华，但光环已经褪去，就像旧礼服盒子里的一颗粘扣一样。接下来，我不再去想弗格夫人，一心欣赏音乐。

弹奏结束后，屋子里一片沉寂，紧接着，大家掌声雷动。她坐在椅子上，半扭着身子，满脸通红，紧张地朝科赫眨了眨眼睛。她正准备起身，却被丈夫走过来制止了，让她再弹一曲，于是她又坐回原位。她先是想了一会儿，随后抬手按下琴键，紧接着，房间里飘起了巴赫的《耶稣啊，人类渴望的欢乐》。

有时，结束了一天的工作回到家，懒得开灯，瘫在舒服的座椅上，静静地待着，一动不动，放空身心，四肢累得酸麻，我便细细体会着这和缓而畅快的酸痛。当时，我就用这种平常的心态聆听着弗格夫人弹奏的音乐。只不过，此时瘫软的不是我的身体，而是我的大脑。四肢所感受到的不是那和缓而畅快的酸痛，而是那合唱序曲的旋律，萦绕在心头。我闭上眼睛。如果能一直这样就好了。如果能一直这样就好了。如果能……

一开始，我没有意识到音乐声被打断。大厅里传来一阵微弱的嘈杂声，只听有人说了句"安静"，紧接着是椅子在地板上挪动的声音。我睁开眼睛，正好看见科赫急匆匆地从门口出去，然后轻轻地把身后的门关上。没过多久，门嘎吱一声又开了。

这一切都好像是在一瞬间发生的。不过，真正让我意识到情况不对劲的是弗格夫人，她弹到中途一下子停住了。我本能地先朝她那边望去。

只见她坐在那里，两手悬在琴键上方，两眼直勾勾地从钢琴上方望过去，好似看到了鬼魂一般。紧接着，她双手慢慢落到琴键上，发出一阵轻柔的噪声。我的目光也跟着到了门口。门口站着两名身穿制服的警察。

他们正一脸严肃地环视着整间屋子。其中一位上前一步。

"哪位是约瑟夫·瓦达西？"

我慢慢地站起身，蒙得说不出话来。

随即，两人一同从屋子那边朝我走过来。

"你被捕了。跟我们到警察局走一趟吧。"

弗格夫人发出了轻声的尖叫。

"可是……"

"没有可是。走吧。"

他们抓住我的胳膊。

杜克洛先生一个箭步冲上前来。

"他到底犯了什么罪？"

"与你无关。"领头的警察冷冷地回绝道。随后，他推着我往门口走去。

杜克洛先生鼻子上的那副夹鼻眼镜都跟着颤了一下。"我可是共和国的公民，"他言辞激烈地说道，"我有权利知道。"

只见那名警察看了看周围的人。"好奇吧，嗯？"他咧嘴笑了笑，"好吧，他犯了间谍罪。大家身边一直有这样一个危险的人物。走吧，瓦达西。快走！"

斯凯尔顿兄妹、弗格夫妇、鲁和马丁小姐，还有克兰顿-哈特利夫妇、席姆勒以及杜克洛和科赫——那一刻，我看了看他们的脸，煞白煞白的，没有丝毫表情，都在朝我这边看。之后，我就出了门。这时，身后传来一声歇斯底里的尖叫声，我猜应该是弗格夫人。

原来，这就是我收到的指令。

18

伪装之人

我被一辆轿车载到警察局，开车的是除这二位之外的一名警察。

见到这种场面，我本以为自己会被惊到。这里离警察局不到半英里，按理说，被逮捕的犯人不会有如此优待，由一辆汽车载着前去。没想到，我并不觉得惊讶。除了圣加蒂安市长和市政当局邀请我前去参加市民招待会以外，没什么能让我觉得惊讶的。这一刻终于来了。这一刻，我早知道会发生，现在终于发生了。再次被捕。假释被撤销了。看来，这就是结局。是啊，我本就没有指望从储备酒店全身而退。不过，总体考量，这样或许更好吧——至少，我不用再多熬一个焦虑不安的夜晚。想到终于可以不用再为自己那些事烦心，想到马西斯先生的讽刺与挖苦再也威胁不到我，想到自己除了认命以外别无他法，我反倒一下子释然了。

我在想，此时此刻，斯凯尔顿兄妹会对这整件事有什么感想呢？他们肯定吓了一大跳。至于杜克洛先生，他现在肯定非常兴奋。或许此刻，他正在跟其他人说，他其实早就知道我的底细。席姆勒呢？想到他，我心里倒觉得有些不忍。本想把真相告诉他。至于其他人……科赫应该不会觉得意外。而那位少校……一定吓得不轻。可能恨不得要一枪毙了我吧。鲁肯定是一阵冷笑就走开了。弗格夫妇或许会就此事郑重地讨论一番。不过，有一个人肯定不会花这些心思，他也肯定知道，我既不是间谍，也不是什么危险人物。没错，就是那个人，那个砰的一声把写字间的门摔上的人，那个偷偷溜进我房间拿走两卷胶卷的人，那个把我一棍打倒的人，那个到我口袋里乱翻一气的人。看来，他就要逍遥法外，我就要枯死在牢房中了。此时此刻，他的心情是怎样的呢？胜利了？可这又有什么用？他们怎么想又有什么关系？无所谓吧。不过，我很想知道，他们中到底谁是真正的间谍——很想知道。好吧，看来我有大把的时间去好好猜一猜了。

这时，汽车驶入警察局前院，轮胎轧在鹅卵石上发出哗啦哗啦的声响。我被带到那间摆着木凳子的等候室。跟以前一样，身边有一名警卫陪同。不过这次，我没有讲话。只是等着。

屋子里时钟的指针已经指向了10点半，这时，门开了，进来的正是贝金。

我冷眼一瞧，他依旧穿着三天前的那套蚕丝西装。手里依旧拿着那条柔软的手帕，依旧出着很多汗。只有一件事令我有些意外。此刻，眼前的他似乎没有之前想象中那样高大了。我这才意识到，原来自己早已把他看成了猛兽。在我的印象中，他就是一个食人魔，一个难缠的家伙，一个腐败的大恶魔，专门捕食那些从他眼前经过的无辜人士——简直就是个魔鬼。可此时，我眼前的这个人，这个胖子，这个大块头，这个汗如雨下的人，也只不过是个普通人。

他瞪着那双厚眼皮的小眼睛盯着我看了一阵，似乎想不起来我是谁。之后，他朝我身边的警卫点了点头。那人敬了个礼，转身出去并把身后的门带上。

"那么，瓦达西，你的假期过得怎么样？"他那尖锐的声音再次令我措手不及。我冷眼看着他。

"好吧，这位先生，我终究还得当替罪羊，嗯？"

他弯下腰，从墙边拉过一把木凳，面对着我坐下。木凳子被他压得咯吱咯吱响。接着，他用手帕擦了擦手。

"天太热了，"他一边说，一边抬眼看了我一下，"你被捕的时候他们都有什么反应？"

"谁，那两个警察吗？"

"不，你那些宾客朋友。"

"他们没什么反应。"我发觉自己的语调越来越尖。我有些意识到，自己忍不住要发火了。"他们没什么反应，"我重复了一遍，"你希望他们有什么反应？杜克洛想知道我犯了什么罪。弗格夫人忍不住尖叫。不过，他们只是看着。我猜，他们也不常见到这种抓人的场面吧？"说着，我的火气一下子喷涌而出。"不过我倒是觉得，如果他们能在圣加蒂安久留一段时间，肯定就习惯这种场面了。下次，等哪个渔民喝醉了酒打老婆，你可以试着把弗格抓回来。打老婆这种事够不够严重？瑞士领事会说什么吗？或许能替他说说话。或者说，海军情报局会不会有足够的胆量这样做呢？知道吗？贝金，三天前你跟我在那间牢房里谈话的时候，我还在想，虽然你有可能是一个恶棍警察，不过你或许是个有理智的人。那时我还想，即便你威胁我，问了我很多无厘头的问题，但是你至少知道自己在做什么。可从那以后，我发现我错了。你根本就没有理智，也不知道自己在做什么。你就是一个傻瓜。你犯了这么多次错误，多到我数不过来。若不是我还留有些许理智，用我自己的方式来完成你交代的任务，恐怕你……"

刚才，他还一直冷静地听我说话，此刻，只见他攥起拳头，好像要上前来打我一样。"如果不是你，会怎么样？"他厉声喊道。

我并没有畏惧。只觉得自己有些鲁莽，有些斗气。

"我知道，你不喜欢听实话。我想说，如果不是我按照自己的方式去完成你交代的任务，恐怕你要抓的间谍早就听到风吹草动逃之夭夭了。你让我去问宾客们有关相机的事。傻子都能看出来那是个致命的错误。"

他再次坐下来。"那么，你是怎么做的呢？"他冷冷地说道，"给我伪造消息？"

"那倒没有，我用了点儿脑子。要知道，"我激动地说道，"连我这种头脑简单的人都能想到，若想悄无声息地打探到消息，识别出间谍的身份，不至于影响抓捕行动，警方至少要给我一定的体谅与帮助吧？早知道你会把这件事搞砸，我当初就不该费这么多心思。不过，我还是通过最直接的观察获得了有关相机的消息。当伪造的盗窃现场被发现作假时，我又不得不硬着头皮去挽回局面，混淆视听，说服所有人（或者说是绝大多数人）都相信这整件事其实是个误会。可现在已经没有挽回的余地了。这一次，恐怕我再也不能弥补你的过失了。你总是打草惊蛇。还有，克兰顿-哈特利夫妇明早就要离开了。发生了这样的事，试想谁还敢继续待在这里。而你的嫌疑人，他就要消失得无影无踪了。不过，"我耸了耸肩，"我觉得你根本就不在乎。警长也对现状表示满意。因为已经有人背了这个锅。这不正是你们警察想要的吗，是不是？"我站起身来。"好吧，现在一切都结束了。我一直都想松口气。如果你不介意，如果你幸灾乐祸够了，就烦请你现在把我关进牢房吧。一来，这间屋子实在太闷；再者，我昨晚没怎么睡觉。我有些头痛，也累了。"

他拿出一盒烟来。

"来一支吗，瓦达西？"

我冷笑了一声："上一次，你说你会用各种阴招逼我就犯。现在想要干什么，要我认罪？我劝你还是别想了，我是不会认罪的。我绝不认罪。明白吗，绝不认罪。"

"来一支烟吧，瓦达西。反正你现在也不打算睡觉。"

"噢，我知道了！又要开始拷问我了，对吧？"

"该死的家伙!"他用法语尖声呵斥道,"快点儿拿。"

我拿了一支出来。他点完烟后把火柴扔给我。

"现在!"他朝空中吐出一口烟来,"我要跟你道歉。"

"哦?"我憋足劲儿说了这么一句。

"是的,我要跟你道歉。我犯了个错误。既高估了你的智商,同时也低估了你的智商。二者皆有。"

"不错!那么,你到底要我做什么呢,贝金先生?让我感激涕零地认罪吗?"

他皱起眉头:"听我说。"

"我在听——很认真地在听。"

只见他拿手帕在衣领周围擦了一圈:"瓦达西,总有一天,你的这张嘴会给自己惹上麻烦。难道你就没有意识到吗?如果是罪犯,此时此刻应该待在牢房,而不是这里。"

"意识到了。我也正纳闷,你这是在耍什么花招?"

"我没有耍花招,你个笨蛋,"他气急败坏地尖声说道,"听着。我给你下达的每一个命令都指向同一个目的——逼那个间谍离开储备酒店。我让你去公开打探相机的事,为的就是这个。我们就是要打草惊蛇。任务失败后——我现在终于明白为什么会失败了——我们就让你去伪造偷窃现场,然后去投诉。那个人搜了你的房间,搜了你的口袋。我说了,我们是想打草惊蛇,但不至于把他吓跑——正因为这样,我们才没有轻易去储备酒店——不过,也足以让他觉得,他待在这里是有危险的。结果,任务再次失败了。第一次,我没料到你会根据实际情况做出自己的推理判断——是我的失误。我忽略了一点,你对内情一无所知。第二次,我没有考虑到你在这方面缺乏经验。科赫居然在那么短的时间内就拆穿了你。"

"可是,"我辩驳道,"你凭什么指望这样就能抓住间谍?你到底是怎么想的？逮捕第一个打包离开储备酒店的人？如果是这样，那你就去抓克兰顿-哈特利少校吧。他明天一早就走。如果你是这样抓间谍的，那么我只能祈祷老天庇佑法国了。"

令我吃惊的是，他的嘴角居然流露出一丝笑意。他叼着烟，深吸了一口，又用鼻子慢慢地呼出来。

"不过，我亲爱的瓦达西，"他柔声细语地说道，"你不了解内情。尤其，你还不知道其中一个极其重要的情况——3天前你从这里离开时，我们就已经摸清了那个间谍的身份，我们可以随时随地逮捕他。"

我花了好一阵子才明白他这番话。一时间，心中时而充满希望，时而沮丧绝望。我看着他。

"那么，到底谁是间谍？"

他身子向后靠去，饶有兴趣地看着我。他轻轻挥了挥手："噢，这个我们一会儿再说。"

我咽了口唾沫："难道又是什么花招？"

"不，瓦达西，不是。"

"那么，"我又忍不住发起火来，"能解释一下你这到底是什么意思吗——难道是想折磨我？你要是知道过去的这3天里我是怎么熬过来的，就不会像个自以为是的胖懒鬼一样坐在这里拿这当笑话来取笑我了。你知道你都对我做了什么吗？你知道吗？你——你……"

他拍了拍我的膝盖："冷静，冷静，瓦达西！你这是在浪费时间。我知道自己长得胖，不过我并不自以为是，也不是懒鬼。我所做的一切都是我必须做的。请不要发火，给我一点儿时间来解释，你会明白的。"

"你为什么逮捕我？为什么把我关在这里？"

他摇头辩驳："请安静，我亲爱的瓦达西，听我说。你动作的幅度太猛，烟都灭了。再来一支吧。"

"我不想抽烟。"

我压抑着满腔的愤怒看着他，他点燃了第二支烟。点完烟以后，他静静地盯着火柴梗看了一阵子。

"我是真心实意地，"最后，他说道，"向你道歉。因为这是我的工作。你一定会谅解的。"

我刚要说话，他挥挥手，打住了我的话头。

"9个月前，"他继续说道，"我们在意大利的一名特工在报告中说，传闻，意大利情报局在土伦新设了一处情报点。当然了，日常工作中，我听过太多类似的谣言，当时没太在意。然而接下来，我不得不认真对待此事。有关这一带沿海防御工事的情报会定期被送往意大利方面，这令人十分不安。我们在斯培西亚的特工报告说，马赛附近一座岛上的防御工程做了秘密调整，可刚过了3天，这件事就成了意大利海军军官们自由讨论的话题。更糟糕的是，我们根本不知道情报源头在哪里。所以，我们很焦急。那天，那个药剂师拿着那些底片来到这里，我们便牢牢地抓住了这次机会。"说着，他那双犹如婴儿般肥硕的手死死地攥起来，像是抓住了脑海中想象出来的一件东西。

"我们自然会怀疑到你。可接下来，我们查清了事情的原委，知道相机是被调换过的，这才撇清了你的嫌疑。老实讲，那个时候我们差一点儿就把你放了。幸好，"他柔声补充道，"我们决定再等上几小时，等相机的汇报结果出来。"

"有关相机的汇报结果？"

"嗯，是的。是这样的，你不了解内情。那天发现相机被调换之后，我们就赶紧给相机生产商打了电话，询问是谁买了这个生产序号的相机。对方说是卖给了艾克斯的一位经销商。幸好，艾克斯的这位经销商还记得这件事。或许是我们运气好，这位经销商是个矮个子，两年的时间里，这个价位的相机，他只卖掉了一架。所以他对此事记忆犹新，还给我们提供了购买人的姓名。这个姓名跟储备酒店的一名宾客姓名完全吻合。与此同时，我们还找来专家，对那些照片进行分析。根据阴影的位置，他得出的判断结果是，照片是在早晨6点半左右拍的，而且是从某个固定的角度用远距离镜头拍的。我们借用地图，再加上照片上出现的那些清晰可见的树叶，结果发现，这些照片的拍摄地点只可能在一个地方。是一个小范围的高海岬区，只能走海路过去。

"于是，我们又去询问港口的渔民。没错，嫌疑人正是乘科赫的小艇在前一天早晨5点钟出发的。他说是去钓鱼。其中一名渔民记得这件事，因为，通常情况下，科赫或其他宾客若想去钓鱼，都是由这位渔民陪同着去给鱼钩上诱饵、照看小艇引擎。而这位特殊的宾客却要自己一个人去。

"所以，我们锁定了那个人。随时都可以逮捕他。警长迫不及待地想要这样做。可是，我们没有逮捕他。为什么？你肯定还记得，那天我在牢房里跟你谈话时说过，我感兴趣的不是间谍，而是背后操纵他们的人。就是这样，我对他这个人没兴趣。我们以前早就听说过他，而且，看他的档案就知道，他一直是受雇于人的。我感兴趣的是他们在土伦设的情报总部。至于他，我可以随时随地对其进行逮捕。不过最重要的是，我想让他带我去找他的上级。为此，我必须想办法逼他离开储备酒店，同时还要让他觉得自己没有暴露。"

"于是，你就想起了我？"

"正是。如果你打从一开始就直截了当地询问相机的事，他就会有所察觉，知道自己的照片被发现了，知道这引起了你的怀疑，不等你去报警就会赶紧逃走。接着，我们就可以跟踪他。问题唯一的难点就是，如何才能理所应当地把这个任务交给你。幸运之神再次垂青了我们。你的护照不符合要求，又没有国籍。接下来的事就都顺理成章了。"

222

"是啊，"我一腔怨气地说道，"的确是顺理成章的事。但是，间谍的身份已然明了这件事，你至少应该提前告诉我。"

"那不可能。其一，这会削弱我们对你的指控力度，而且也会加大我们想让你配合工作的难度；其二，我们还不能完全信任你。你很有可能把这件事泄露出去。你对待那个人的态度也会变得不自然。可惜，你做事我行我素，违背指令。即使你没能按照指令行事，那也罢了。可更令我们头疼的是另外两件事：首先，你的房间被人搜过了；其次，前一晚你又遭遇偷袭。这也让我们意识到，那个人的胆子要比我们想的大。所以，可以断定的是，他发现相机被调换了。而且他知道，他的相机就在你手里。他一定是早就发现你们的相机是相同的款式。我现在才想明白，他肯定以为你还不知道那些照片的来头。或者，"他目光犀利地瞟了我一眼，"你是不是瞒着我们做了些什么？"

我犹豫着没吭声。脑中闪现出那天我独自坐在写字间时的情景，听时钟嘀嗒的声音，死死地盯着镜子，突然，门砰的一声被摔上了，钥匙在锁眼里转了一圈。想到这里，我的眼神正好与贝金的相遇。

"没什么重要事情瞒你。"

他叹了口气："好吧，或许已经不重要了。都过去了。那我们就来聊聊盗窃案投诉的事吧。坦白讲，我亲爱的瓦达西，我确实有些对不起你，让你不得已去做这种事。但必须做。那个进你房间搜查并拿走那两卷胶卷的人，他心里清楚得很。他什么都没有拿，而你却投诉说丢失了贵重物品。他一定会因此而迷惑不解，一定会心存疑问。可惜，情况迅速恶化。我们不得不采取更加严密的措施。这才会在今晚将你逮捕。"

"你的意思是，我其实不是真正被捕？"

"如果你真被捕，那么，瓦达西，我刚刚已经跟你说得很清楚了，你现在就不会在这里跟我谈话了。这么跟你说吧，我亲爱的朋友，我们必须将那个人逼到死角。不过，必须小心谨慎。我们早就告知那名前去逮捕你的警察，让他将你被捕的因由说清楚。即便杜克洛不问，那名警察也会告知大家你犯了间谍罪。现在，你换个角度想一想：假如你是那个间谍，你发现自己拍的照片阴差阳错地落到了别人手上。你会怎么做？当然是想方设法把照片找回来。几经失败之后，你开始怀疑这人可能是在跟你耍花招，于是你决定耐心等待。紧接着，这人以间谍罪名被警察带走了。你会怎么想？第一反应会是怎样？首先，警察已经发现了那些照片的存在；其次，如果那个人为自己辩护，那么他就很有可能把警察的视线引到你身上。所以，你要抓紧时间离开，而且时间紧迫。明白了吗？"

"噢，我明白了。可如果他没有离开呢？那该怎么办？"

"不会有这种情况发生。他已经动身离开了。"

"什么？"

他瞟了一眼挂在墙上的时钟。"10点25分。十分钟前，他就从村子里的车厂租了一辆车离开了储备酒店。现在正要去土伦。我们会再给他几分钟时间。派一辆车在后面跟着。这个时候，我们应该收到相关汇报了。"他点了第三支烟，随后把火柴的火甩灭，"与此同时，我还要给你下达几道命令。"

"哦，是吗？"

"是的，原因很简单，还不能以间谍的罪名对他实施抓捕。千万不能让媒体方面嗅到这个消息。所以，我打算以行窃的罪名对其进行逮捕——理由就是偷窃康泰时蔡司相机，价值4500法郎。明白了吗？"

"你的意思是，让我来指认相机是我的？"

"正是。"他死死地盯着我，"你能做到的，对吗？"

我犹豫着不吭声。没有其他办法了。只能跟他讲实话。

"嗯？"他不耐烦地催促道。

"要是以前，这办法还能行得通。"突然，我的脸唰地一下红了，"只是，现在有点儿麻烦。储备酒店房间里的那架就是我自己的相机。它又被换回来了。"

没想到的是，他居然冷静地点了点头："什么时候发生的事？"

我把事情经过告诉他。他的嘴角居然再次流露出一丝浅笑。

"我就说嘛。"

"你说什么？"

"我亲爱的瓦达西先生，我可不是傻瓜，你又是那么简单通透的一个人。早上通电话时，你千方百计地避开相机的话题，这不是很明显吗？"

"我没想到——"

"你当然没想到。不过，你已经发现这两架相机极其相像。待会儿，我们希望能在土伦找到另一架相机，到那时，你完全可以故意把它当作是自己的那架，这也是情有可原的，不是吗？"

我连忙点头同意。

"等事后发现自己看走了眼，你再真诚地道歉，可以吗？"

"当然。"

"很好，就这么说定了。"他站起身来。"那么，"他柔声细语地补充道，"如果一切顺利，我想，明天准时动身赶回巴黎，周一去见你的马西斯先生，这应该不是什么问题。"

一时间，我竟没听明白他在说什么。紧接着，我的大脑一边开始过滤这番话所透露的信息，一边听自己语无伦次地说着感谢的话。仿佛自己刚从噩梦中惊醒过来。就是那种解脱与恐惧叠加在一起、令人无法抵抗的感觉：解脱是因为，醒来发觉这不过是一场噩梦；恐惧是因为，这场梦太过真实，现实便是梦境。醒来后，噩梦的余味依旧残留。我有些担心，担心自己会信以为真。担心这只是贝金耍的另一个小把戏，想要骗取我的信任。于是，感谢的话语到了嘴边就又被咽了回去。他好奇地看着我。

"如果你说的是真话，"我一脸严肃地问道，"如果你说的是真的，为什么不现在就放我走？为什么非等到明天？如果你不打算指控我，为什么要把我关在这里？你没有权力这样做。"

他无奈地叹了口气："我没有权力那么做。只是，我跟你说过，我们需要你的帮助，去指认那架相机。"

"那，如果我拒绝呢？"

他耸耸肩。"我不能强迫你。我们只好想别的办法。当然了，你还须，"他若有所思地补充道，"作一些其他方面的考虑。我记得你提起过，说你想申请法国公民的身份。那么，你在这件事上所采取的态度可能会大大影响申请结果。如警方有需要，法国公民有义务协助警方工作。如果一个人的公民责任意识太弱，不愿协助，那么……"

"我明白了。又是勒索！"

他拿起一只胖乎乎的手搭在我肩上。"我亲爱的瓦达西，我还从没遇见过像你这样喜欢在一句话上较真的人。"说完，他把手拿开，伸进衣服里面的口袋，拿出一张信封来，"看看吧！你在我们的要求下在储备酒店待了3天，为我们办事。我们也会拿出公平的态度。这是500法郎。"他把信封塞到我手里，"足以弥补你这几天的额外花销。现在，你待在这里的时间屈指可数，我恳请你拿出1小时的时间去帮我们抓捕那个给你惹了这么多麻烦的人。我这么说合适吗？"

我看着他的眼睛。

"你刚刚避开了我的问题。我再问一遍。到底谁是间谍？"

他若有所思地摩挲着自己松弛的面颊，用眼角瞥了我一眼。"可能，"他慢条斯理地说道，"是我故意克制住冲动，不告诉你。也可能，此时此刻，我还不想告诉你。"

"我知道了。你还真精明。那我就跟你去，亲自探个究竟。你们不是眼巴巴地等着看我指认那台错误的相机吗，对吧？"

　　还没等他回答，就传来一阵急促的敲门声，紧接着，一个警卫走进来，意味深长地向贝金点了点头，然后又出去了。

　　"瞧，"贝金说道，"我们要抓的人已经过了萨纳里了。该出发了。"说着，他一边朝门口走去，一边回过头来，"要一起来吗，瓦达西？"

　　我把信封塞进口袋里，站起身来。

　　"当然。"我说了句，紧接着就跟他出了那间屋子。

19
墓志铭

晚上10点45分，一辆大型雷诺轿车从警察局门口的一小截路段驶出，沿海岸线主干道向东进发。

坐在车里的除了我和贝金以外，还有两名便衣警卫。一个开车，另一个和我一同坐在后排座位上，这个人我认识。他就是那个非要我请他喝柠檬汽水的朋友。不过，他一口咬定不认识我。

乌云散去，高悬在夜空中的明月在大地上洒下一片皎洁的月光，对比之下，车灯发出的光线显得那样苍白无力。车辆驶离圣加蒂安郊区时，发动机的隆隆声直上云霄，过了储备酒店那边的岬角之后绕S形弯道向前行驶，轮胎轧在湿漉漉的路面上有些打滑。我靠在椅背上，试着整理一下我那凌乱的思绪。

我约瑟夫·瓦达西，不到2小时前，还在想失去工作、失去自由与希望这类事，此时此刻居然冷静地坐在一辆法国警车的后座上，赶去抓捕间谍！

冷静？不，完全不是。此刻的我，恐怕只缺少冷静，甚至想高歌一曲。不过，我也不十分清楚自己到底想唱什么。难道是因为明天的这个时候（差不多离现在还有24小时）我就可以乘火车返回巴黎了？或者，难道是因为今晚不久之后，谜题的答案即将揭晓，我的问题随即迎刃而解，不用动任何干戈？我在这几种可能中徘徊着。

过去的这3天里，我的精神状态绷得很紧，我想，此时的这种情绪应该都是人体机能的一种反应吧。所有现象都指向了这一结论。我肚子咕咕地叫个不停，口也特别渴。于是，我不停地点烟，点着之后不等抽完就扔出车窗外。此外，还有一件事，也是最为紧要的，不知为什么，我总觉得自己忘了什么事，总觉得自己把什么东西落在了圣加蒂安，一种我可能会用到的东西。当然了，这都是胡思乱想。那一晚去土伦，没有一件可用的东西是落在圣加蒂安的。

轿车在月光下的林荫大道上行驶。后来，树丛就被甩到了身后，整片乡村区域变得开阔起来。有橄榄种植园，在车灯的光线中，它们的叶子变成了银灰色。我们经过了一座座村庄。之后进了一个小镇。紧接着，我们碰巧从广场上的一位行人身边经过，他扯着嗓子生气地朝我们大喊大叫。"快了，"我想，"应该很快就要到土伦了。"突然间，我很想跟人说说话。于是，我扭过头，对旁边那位说道。

"那是个什么地方？"

他把嘴里的烟斗拿出来："去加蒂赫尔市。"

"你知道我们要抓的人是谁吗？"

"不知道。"说完，他又把烟斗放回嘴里，两眼盯着前方。

"关于柠檬汽水的事，"我说道，"我很抱歉。"

他咕哝着说了一句："我不知道您在说什么。"

我放弃了。这时，雷诺轿车向右拐了个弯儿，紧接着继续沿笔直的马路加速前进。车灯的光亮反射在贝金身上，我盯着他那轮廓分明的头和肩膀。我看他点了一支烟。随后，他侧过半张脸来。

"别想从亨利那里问出什么，"他说道，"他可是一个谨慎的人。"

"是啊，我看出来了。"

他把火柴扔出窗外："你在储备酒店待了4天，瓦达西。对我们要抓捕的人完全没有概念吗？"

"没有。"

他上气不接下气地咯咯笑："猜都没猜过吗？"

"没猜过。"

亨利在一旁动了一下："你当不了一个好侦探。"

"我还真不想当个好侦探。"我冷冷地反驳道。

他又开始小声嘟囔。贝金咯咯地笑着。"你可要小心了，亨利。这位先生满脑子都是别人在骗他，到现在还在生警方的气。"说着，他转身对司机说了句，"到奥利乌勒的邮局停一下。"

几分钟后，我们就到了刚刚提到的那个镇子，进了一间院子，在一栋小型建筑外停了下来。一位身穿制服的警卫正在门口等候。只见他走上前来敬了个礼，在车窗外俯下身子。

"贝金先生吗？"

"是的。"

"先生，他们正在主干道与赛比特路口的交会处等您。从圣加蒂安车厂过来的那辆车五分钟前就折返回去了。"

"好！"

于是，我们又上路了。五分钟后，我发现前面马路上停着一辆车，车尾灯开着。我们这辆雷诺汽车减慢速度，在它后面停下。贝金下了车。

一个精瘦的高个子男人站在前面那辆车的旁边。他朝贝金走过来，两人握了握手。他们站着谈了一会儿话，随后那个高个子就回到自己车上，贝金也回到我们这辆雷诺轿车里来。

"那位是码头警察局的富尼耶巡警，"贝金上车时对我说道，"我们一会儿要去的就是他的地盘。"他关上车门，转身对司机说了句，"跟上巡警的车。"

于是，我们再次出发了。从奥利乌勒出来以后，沿途的树丛越来越稀薄，又经过了一两家工厂。最后，我们来到一条灯火通明的马路，马路中央有电车穿行，路旁有咖啡馆。接着，我们朝右一拐，只见街角有一栋建筑，上面写着"斯特拉斯堡大道"。看来，已经到了土伦。

咖啡馆的人爆满，成群结队的法国水手在路旁闲逛。还有很多姑娘。一位浓妆艳抹的年轻漂亮女人戴着一顶阔边帽、身穿黑色紧身裙从我们面前迈着方步过了马路，惹得我们这位司机来了个急刹车，朝她咒骂了一阵。一位乞讨的老人正在弹奏曼陀林琴。这时，只见一个又黑又胖的男人截住了一名水手，跟对方说了些什么，结果被人猛地一推，撞到了一个端着一托盘甜品的女人。车又往前开了一段，有一支海军巡逻队，他们从咖啡馆里进进出出，正在警示那些水手，告诉他们是时候回到各自所属的船只上了，准备回归舰队。接着，我们来到主干道上一处人少的地方，前面那辆车慢下来，朝右拐了个弯儿。一会儿过后，我们就驶进了一片纵横交错的街道网，漆黑狭窄的道路两旁都是房屋和铁门窗紧闭的商店。又过了一会儿，房屋变得越来越少了，整条街道的两边就只剩下高高的仓库陡墙。最后，我们就在这样一条街道上停了下来。

"在这里下车。"贝金说道。

那一晚虽然闷热，可当我站在潮湿的马路上时却有些发抖。或许是因为太过兴奋，不过我觉得，应该是因为紧张——害怕。那些陡壁高墙让人觉得阴森怪异，让人觉得……

贝金碰了碰我的胳膊。

"过来，瓦达西，我们要走一段路。"

巡警和其他三个人正站在前面等着。

"太安静了。"我说了句。

他小声说道："这么晚了，这里大都是仓库，你还指望有多热闹？你和亨利跟在后面，别出声。"

紧接着，他跟巡警走在最前面，其他三个人跟在他身后。亨利和我走在最后。司机依旧待在车里。

走到这片墙壁的尽头，我们拐进了一条街，这条街蜿蜒曲折，每向前走几米远就得拐个弯儿。右手边是仓库的端墙，汽车沿墙边开过来。左手边是一排老房子，都是三层楼高，绝大多数人家都已经熄了灯。不过，偶尔也能看到一些星星点点的光亮从几户人家关闭着的百叶窗中透出来。月光在满是裂缝的灰泥墙上投出斑驳的光影。楼上的某个屋子里，收音机正在播放探戈曲子。

"我们这是要干什么？"我问道。

"跟人家打个招呼，"亨利小声说道，"这样显得我们足够礼貌。闭上你的嘴，别给我惹麻烦。快到地方了。"

街道变得越来越窄。拐个弯儿之后，只觉得脚下的鹅卵石地面逐渐出现了下坡。我依稀能够看见街道两侧再次出现了高耸的陡壁，墙上加固着高高的混凝土墩台。突然，在墩台投射的阴影中，我看到有东西在动。

我的心猛地一跳，赶紧抓住亨利的胳膊。

"那里有人！"

"别说话，"他小声说道，"都是我们的人。我们已经把这个地方包围起来了。"

接着，我们又走了几米远。地面又变得平整起来。我发现右边墙上有一处缺口。貌似是其中一间仓库的入口，是方便卡车通行的地方。前面几个人躲在阴影里。我跟在后面，感觉脚下的鹅卵石路变成了煤渣路。我犹疑了一下。

"站到旁边去，"亨利小声喊道，"去左边。"

我小心翼翼地按照他说的做，张开的手臂不小心碰到一面墙上。前面的人不再动了。我抬头看了看，两侧的墙壁就像深谷两边的峭壁一般，直耸入一片繁星点点的夜空。突然，前面一束手电筒的光亮刺破了夜幕，其他人正站在左边墙壁这侧的一扇木门前。我向前走了几步。手电筒照着那扇门。门上涂着几个字：

F. P. 梅特罗海事代理

贝金抓住门把手，轻轻转动。紧接着，门就朝里开了。亨利在身后捅了我一下，于是，我跟着其他人向前走去。

进了门，有一条短暂的通道，通道尽头是一段很陡的、光秃秃的木制楼梯。楼梯缓步台上有一盏电灯，没有灯罩，一道冷光照在那堵掉了皮的石灰墙上。看来，梅特罗代理公司不太有人气。

贝金动作缓慢地踏上楼梯，楼梯发出吱呀的响声。我跟着过去，这时，我发现紧跟在我身后的亨利居然从口袋里拿出了一把大号手枪。看来，这个"招呼"根本不像他刚才说的那样"有礼貌"。我的心怦怦直跳。在这栋死气沉沉、到处弥漫着异味、阴森森的建筑里，藏着一个我认识的人。不到半小时以前，他也是踩着我脚下的这段楼梯上去的。用不了多久，我就能再次见到他了。一想到这里，我就胆战心惊。虽然他不会伤到我，但我依旧害怕极了。突然间，我好想用面具把脸遮住。没错，听着实有些愚蠢。紧接着，我开始猜那个人到底会是谁。我被警察"逮捕"的时候，他们都看着我，我也观察了他们脸上的表情——惊吓、恐惧。可是，其中的某一个人，某一个人……

亨利捅了捅我的后背，提醒我赶紧跟上前面的人。

贝金在第一个缓步台上的木门前停了下来，试着拧了拧把手。门很轻松地被打开了，借着光亮一瞧，是一间空屋子，天花板上的灰泥落在地上，厚厚的一层。他停下来，把额头和脖子上亮晶晶的汗擦一擦，之后继续带领大家往上走。

快要到第二个缓步台的时候，他再次停下，示意我们先不要动。之后，他就和巡警两个人上了缓步台，消失在我们的视线中。

　　周围安静极了，我甚至都能听到前面那人腕子上手表指针的嘀嗒声。这时，周围更加安静了，一阵微弱的交谈声传到我耳边。我屏住呼吸。不一会儿，栏杆扶手上方出现了巡警的头和肩膀，他是来示意我们继续跟进的。

　　这处缓步台跟下面那个一模一样，只是没有灯。大家轻手轻脚地在门前一字排开。我不知不觉地贴到旁边的墙上。现在听，声音比刚才的声音大了些，只是依旧十分模糊，听不清在讲什么，不过，我能听出来，其中有一个人——在说意大利语。

　　我看见贝金将手伸向门把手，犹豫了一阵，然后稳稳地抓住门把手，转动。

　　门是锁着的，里面的人察觉到了门把手发出的轻微响动，谈话戛然而止。贝金压低嗓音骂了句脏话，又使劲敲了敲门板。屋子里没有丝毫响动。贝金等了片刻，随后迅速朝亨利这边转过身来。亨利把手里的手枪枪把递过去。贝金点点头，接过手枪。之后，他又转过身去对着门口，把子弹上膛，枪口斜对着锁眼。随即，他扣动扳机。

　　枪声震耳欲聋，门依旧关着。这时，两名警卫上前用身体将门撞开，砰的一声，门开了。我耳朵里嗡嗡直响，跌跌撞撞地跟着他们进了屋。

　　从装修样式来看，这是一间小型的办公室，只是角落里有一张铁床架。屋子里没有人。不过，再往里走，还有一道门。巡警高喊一声冲了过去，把门撞开。

　　里屋黑漆漆的，不过等门一开，外面办公室吊灯的光线一下子照到里屋端墙的窗户上。这时，只听一个女人在黑暗中尖叫起来。下一刻，一个男人蹿到窗边，打开窗户，一条腿伸到窗台上。

这一切都是在瞬间发生的。还没等警长站稳身体，那个人就已经上了窗台，他平衡了一下身体。我用余光看见贝金迅速举起手枪。与此同时，窗台上的那个人一转身，抬起胳膊。紧接着就是一声枪响，随后传来一声低吼。我这才反应过来，没等贝金开枪，那人就抢先一步，一枪击中了巡警的肩膀。之后，只听哗啦啦一阵响，窗玻璃碎了一地，屋子里的女人又是一阵尖叫。窗户被打碎了。那人不见了。不过，在他转过身来开枪的时候，我看清楚了他的脸，认出了他——是鲁。

这时，警长靠在门框上，痛得龇牙咧嘴。随后，我跟着其他人进了那间里屋。

蜷缩在墙角、脸色煞白、不停呜咽着的正是马丁小姐。在她旁边还站着一个人，这人是个秃头，身材结实，双手举过头顶，正气愤地用流利的意大利语为自己辩护，说自己是个本本分分的生意人，是法国的朋友，还说自己没干违法犯罪的事，警方无权干涉他。

贝金早就去了窗户那里。他的子弹把玻璃窗打得粉碎，可就是没看见鲁的踪影。越过亨利的肩膀，我瞥见窗下大约两米的地方是一栋附属建筑物的屋顶。

贝金迅速转过身来。

"他肯定早就摸清了屋顶的状况。杜普特、马雷夏尔，你们看好这两个人。莫蒂尔，你回到街上，提醒咱们的人继续观察屋顶的动静，一旦发现他就立即开枪。之后再回来，看看能为富尼耶巡警做些什么，他受伤了。亨利，跟我走！还有你，瓦达西，或许能帮上忙。"

紧接着，他一边汗如雨下，一边咒骂着翻身上了窗台，又跳到下面的屋顶上。亨利和我紧随其后。这时，巡警用虚弱的声音对莫蒂尔说，不要像个傻子一样站在那里，赶紧遵照命令，去街上提醒大家注意。

这是一片平屋顶，四面筑有低矮的护墙，我就站在护墙上，中间有一扇像黄瓜架一样的天窗。再往周围看，是相邻仓库那高耸的陡壁。月光下，这些墙壁投射出大片阴影，屋顶上似乎没有出口。可是，鲁的确消失得无影无踪了。

"你有手电筒吗？"贝金厉声问亨利。

"有，先生。"

"那就别傻站着了。到天窗那边，看能不能从外面把它打开。看在老天的分儿上，赶紧去。"

说着，亨利听从命令跳到管道上，与此同时，贝金开始绕着护墙走过去。只听他一边走，嘴里一边嘟囔着一些奇怪的话。过一会儿，我才领会他的用意。远处屋顶的一个角落里，两堵墙衔接的地方有一个狭窄的空隙，正好被阴影遮住。亨利拿手电筒查看了一番，大声报告说，人不可能从天窗逃走。话音刚落，只见一道火线伴随着枪声从黑暗中射出来，一颗子弹狠狠地打在我身后的砌砖上。

贝金赶紧蹲下来，我也跟着俯下身来。亨利哈着腰冲出阴影，朝我们这边跑过来。

"他就在两堵墙衔接的地方，就是那个角落里，先生。"

"我知道了，笨蛋。瓦达西，蹲下，待在原地别动。亨利，我掩护你，你去墙那边，想办法接近那道空隙。要是发现了他，你就用手电筒照在他身上。我们把他堵在那里。"

亨利赶紧过去，贝金举起手枪，慢慢地沿着管道往空隙处靠近。这时，一片云飘过来，片刻间，月光被遮住，我完全看不见他了。不一会儿，出现了一道手电筒的光亮，随即传来两声连续的枪响。火光正是从角落的空隙里射出来的。枪声的回音落下，只听贝金跟亨利喊话，让他不要再前进。

我再也忍不住冲动，跟了过去。快到那处角落时，我险些撞到贝金身上，他正小心翼翼地窥探着两堵墙之间黑漆漆的空隙。

"看见他了吗？"我小声问道。

"没有。他看到了我们。你最好回去，瓦达西。"

"我宁愿待在这儿。如果你不介意的话。"

"要是你被子弹打中了可别怪我。这个角落往里二十几米的墙上有一个铁制防火梯，他就在上面。那是街上一间仓库的后墙，跟我们这间仓库正好平行。亨利，你赶紧回去，告诉街上的同志们，派几个人到那间仓库去。如果仓库看门的人睡着了，就让他们直接闯进去。我想让咱们的人从后面包抄，把他抓住。告诉他们，动作要快。"

亨利哈着腰跑走了。我们静静地等着。远处传来几阵火车转轨的声音，还有大道上车水马龙的声音。而我们周围是一片死寂。

"如果他溜掉了怎么办，没等我们……"我终于开口问道。

他抓住我的胳膊："闭嘴，听着！"

我仔细听着动静。刚开始，我什么都没听到，随后，耳边传来一阵微弱的、碰撞金属的声音。这声音很奇怪，咣啷咣啷的金属声。贝金猛吸了一口气，只见他侧着身子朝砖砌的角落走去。我弯着腰向前挪着步子，直到能从护墙上往里看。这时，手电筒的光亮一下子照到黑暗中。紧接着，光束又扫到空隙对面的混凝土墙上。随即，光束定格在那里，我看见了防火梯。

此时的鲁已经快要爬到梯子顶端了。手电筒一照，他立马转过身来看了一眼，握着手枪，半举在空中。手电筒的光将他的脸照得煞白，他在强光下眨了眨眼。紧接着，贝金开了一枪。子弹叮当一声擦过防火梯，飞到了空中。鲁放下枪，赶紧继续往上爬。贝金又开了一枪，随后沿着两堵墙之间的管道跑到梯子下面。我犹豫了片刻，紧接着跟着他跑过去。等我到梯子下面时，他已经爬上了一半。我仰头看见他这个大块头悬在空中，墙上的影子跟着缓慢地移动。我跟他后面。

没过多久，我就后悔跟他上了梯子，因为我突然看见上面有个人影过来。

贝金停下，朝下面高声叫喊，让我回去。这时，鲁的子弹正好击中了我脚边的梯撑上。贝金回击一枪，这时，鲁不见了踪影。这个大胖子爬上最后几级梯凳。等我赶上他，他正小心翼翼地把头伸出屋顶周围的平台张望着。只听他轻声咒骂了一句。

"他逃走了吗？"

他没有回答我，而是从平台上一跃，跳到屋顶上。

这是一片狭长的平面屋顶。附近有一个大水箱。远处的一头，有一个三角形的结构，里面是一扇门，直通下面。中间要经过一大片方形钢制通风井。贝金把我拉到水箱的阴影里。

"我们得等人来援助。那么多方形通风井，我们不可能找到他，如果贸然行动，他很有可能会躲在一个地方狙击我们。"

"可是，如果我们继续等下去，很有可能就被他溜走了。"

"不会。我们把他逼到这里。要想从这片屋顶下去，只有两条路——一个是防火梯，一个就是那边的门。他很有可能选择硬拼。最好待在这里，等我们的人过来。"

可是，我们没有想到的是，屋顶上还有另一个出口，鲁是想从那里逃走。

其实，我们并没有等多久。贝金的话音刚落，机动保卫队的人就带着枪从门口涌到屋顶上。贝金命令他们分散开来，逐渐向我们这边靠近。他们立即听从指令。警卫们在不断逼近。我屏住呼吸等待着。

我也不知道自己到底期待着怎样的事发生，不过，接下来发生的事却是始料未及的。

眼看保卫队向最后一排通风井逼近，一开始，我还以为鲁已经甩掉我们了，就在这时，突然蹿出一个人影来，往通风井后面正对着我们的壁架冲过去。一名卫兵大喊了一声，跟在他后面，贝金也跑了过去。鲁蹦上壁架，找了一下身体平衡。

这时我才发现。原来，我们站的这片屋顶和旁边那间仓库的屋顶之间有一道宽约2米的空隙。鲁想要跳过去。

只见他稍稍屈腿，准备往下跳。这时，最近的那名卫兵已经到了离他大约20米远的地方，他一边跑，一边给手枪上膛。贝金依旧在较远的地方。此时，只见贝金停下脚步，举起手枪。

鲁刚一站直，他就开了枪。子弹打中了他的右臂，因为我见他立马用左手捂住了受伤的地方。随后，他的身体就失去了平衡。

当时的情景太惊心动魄了。他还短暂地挣扎了片刻，想要自救。但下一刻，他就意识到自己掉下去了，于是大叫一声。

他整个人掉下去之后，先听到的是喊声，之后便是尖叫，再接下来，就是他身体撞到下面的混凝土建筑时发出的怪异声响，随即尖叫声戛然而止了。

贝金走到平台那里往下张望。紧接着，在一天之内，我第二次体会到了虚脱的感觉。

等他们找到鲁时，他已经死了。

"他的真名，"贝金说道，"叫威沃尔。阿瑟·马利·威沃尔。我们几年前就知道这个人。他是——生前是——法国人，不过母亲是意大利人。他生于意大利边境附近的布里昂松。1924年，他从部队逃走。没过多久，我们就听说他以一名意大利特工的身份在萨格勒布工作。后来，他又为罗马尼亚军队情报部门效过力。之后，他去了德国，为别国政府办事，可能又是意大利政府。他来这里用的是伪造的身份。你还想知道什么？"

后来，我们回到梅特罗代理公司那间办公室。富尼耶警长已经被救护车拉走了。警卫们早就叫来了一辆厢式货车，此刻正忙着把办公室里所有证件、文件与书籍搬到车上。其中一个人负责扯开椅子的内衬，另一个人负责撬开地板。

"马丁小姐怎么样了？"

他随意地耸了耸肩："噢！她只不过是他身边的一个女人罢了。她肯定知道他的所作所为。现在还在邮局里晕着。等她醒过来了我们再进行审问。我猜，我们恐怕得放她走。令我感到欣慰的是抓到了马莱蒂，或者像他自己说的那样，叫他梅特罗。他才是这一切事情背后的指使。鲁并不重要，只是一个被雇来做事的人。我们很快就能找到剩下的人。所有的信息都在这里了。"

说完，他朝那个撬地板的人走去，查看了一摞从地板下翻找出来的文件。留我自己在一旁待着。

是鲁没错了。此刻，我才恍然大悟，为什么他的口音听起来那么耳熟。与我一同在马西斯外语学校共事的意大利人罗西就是这种口音。现在回忆起来，我才明白他当时想用5000法郎从我这里买线索的用意。原来也是想知道照片藏在了哪里。我现在才弄明白是谁朝我后脑勺打了一棍子，是谁搜了我的房间，是谁砰的一声关了写字间的门，又把门锁上。现在，我终于明白了，可是，这已经不重要了。一直萦绕在我耳边不散的是那声惨叫。眼前却依旧浮现出当时马丁小姐和这个已经死去的间谍在俄式台球桌前的举动。我看见她故意把身体贴在他身上。可是……鲁并不重要……只是一个被雇来做事的人……她不过是他的一个女人。是啊，没错。事情原本就是这个样子。

这时，一名特工手里拎着一包东西走了进来。贝金放下手里的文件，打开包裹。原来是一架康泰时蔡司相机和一个大的长焦镜头。贝金示意我过去。

"这是在他口袋里找到的，"他说道，"想看看上面的序列号吗？"

我看了看他手里的相机。镜头和快门装置的一侧已经被压碎了。

我摇了摇头："一切都听你的,贝金先生。"

他点点头:"那么,你就不必在这里久留了。亨利就在楼下。他会开车把你送回圣加蒂安。"说完,他就又开始研究起那堆文件来。

我犹豫了一下:"还有一件事,贝金先生。你能解释一下,他为什么非要待在储备酒店,千方百计地想拿回胶卷呢?"

他有些不耐烦地抬起头来,耸了耸肩:"我也不清楚。可能雇主要拿到东西才会给他钱吧。我猜,他应该是需要那笔钱。晚安,瓦达西。"

我下楼来到街上。

"他需要那笔钱。"

像一句墓志铭。

20

烟消云散

等我回到储备酒店时，已经接近凌晨1点30分了。

我拖着疲惫的身体沿车道往里走，发现办公室里还有光亮。我的心一沉。听贝金说，圣加蒂安警察局已经把情况跟科赫解释过了，让他做好准备，等我回来。可是，一想到跟人谈论此事，我就觉得无法面对，尤其是科赫。我本想悄悄地从办公室门口过去，直接上楼，可我的手刚碰到楼梯扶手，办公室里的人就出来了。我转过身，看见科赫正站在门口，满脸困倦地冲我笑。

"我一直在等您，先生。我刚刚去过警长那里了。他跟我说了一些其他事，还告诉我您一会儿就回来。"

"我知道了。我现在很累。"

"是啊，当然了。抓捕间谍这种事听着就是个累人的活儿。"他又笑了笑，"我猜，您现在很想来点儿三明治和红酒。办公室里就有，已经为您准备好了。"

我这才意识到，三明治和红酒，此时此刻正是我想要的。我说了句谢谢。随后就进了办公室。

"警长，"他一边开红酒，一边说道，"特意强调了这件事，不过，没有挑明说。我领会了他的意思，最重要的是不能让人知道鲁的那些行为。当然了，有必要跟大家解释一下，为什么瓦达西先生昨天刚因

242

间谍罪被捕，今天就被放了出来，就像什么事都没发生一样。"

我咽了几口三明治。"那是，"我心平气和地说道，"警长该操心的事。"

"没错。"他给我倒了些红酒，自己又倒了一些。"不过，"他补充道，"明天一早，您还得亲自回答一些比较为难的问题。"

这时，我已不想再深入谈论这些事："当然可以。不过，那都是明早的事了。我现在只想去睡觉。"

"那是自然。您现在一定非常累了。"他突然朝我咧嘴一笑，"今天下午我们之间发生的一些冲突，还希望您别放在心上。"

"我早就不记得了。也不是您的错。我也是奉警方的命令行事。只能照做。您也知道，这并非我本意，但没有办法。他们威胁我，要把我驱逐出境。"

"噢，原来是这样！警长可没跟我说这些。"

"他是不会说的。"

接着，他拿起我的一份三明治，咀嚼了片刻，或者说沉默了片刻。

"要知道，"他若有所思地说，"过去的这几天里，我一直都很担忧。"

"哦？"

"我曾经在巴黎一家酒店担任过副经理。经理名叫派尔维斯基，是一个俄罗斯人。您或许听说过他。某种程度上来讲，他是一个天才。跟他共事很开心，他教了我很多东西。他过去常说，一个成功的酒店老板，必须要了解自己的宾客，必须知道他们的所想、所做、所求。而且，还绝不能把好奇心表现出来。我把这番话牢牢地记在心里。逐渐地，这成了我的一种本能。可是，在过去的几天里，我发觉酒店里有些异常，而我又无从掌控，这让我很忧心。这种感觉极大地触犯了我的职业敏感特性，不知您能否理解我的意思。我发觉，这里的某个人正在搅动局势。起初，我以为是那个英国人。因为一开始海滩上发生了打架事件，后来我今早才得知，他向你们大家借过钱。"

"我想，他应该是借到了钱。"

"嗯，没错。那个年轻的美国人借给他2000法郎。"

"斯凯尔顿？"

"对，斯凯尔顿。希望这孩子能赔得起这笔钱。因为我觉得这钱很有可能一去不复返了。"他停顿了一下，之后补充道，"还有杜克洛先生。"

我哈哈大笑道："有那么一段时间，我还怀疑过杜克洛先生是间谍。您也知道，科赫，他是一个不靠谱的老头。最能说谎，喜欢传播谣言。他之所以能成为一名成功的商人，我想原因就在于此吧。"

他挑了挑眉毛："商人？他一直都跟你这么说的？"

"是的。他好像有好几家工厂。"

"这个杜克洛先生，"科赫意味深长地说道，"他只是一名普通的职员，在南特附近一个小自治市的卫生部门上班。"

"他是一名什么？"

"职员。他每个月赚2000法郎，每年都要来这里度两个星期的假。我曾听说，几年前，他在一家精神病院待了6个月。我有一种预感，用不了多久，他还得回去。照比去年，他今年的精神状况差了很多，有并发症的趋势。他给人们身上编造各种离奇的故事。他缠了我好几天，非要让我把那位英国少校扣押起来。他说少校是一个臭名昭著的罪犯。很让人为难。"

不过，对于这种出乎意料的事情，我早就听惯了。吃完最后一点儿三明治，我站起身来："好了，科赫先生，感谢您的三明治，感谢您的红酒，感谢您的好意，那么——晚安了。我要是再待一会儿，恐怕这个晚上就这么过去了。"

他咧嘴笑了笑："还有，您肯定逃脱不了他们的追问。"

"他们？"

"我在说那些宾客，先生。"他一脸认真地探过身来，"是这样的，先生。您现在累了。我本不想打扰您。可是，您想过没有，明天一早该怎么跟那些人说？"

我一脸倦意地摇了摇头："我一点儿都不知道。我觉得，我会跟他们说实话。"

"警长……"

"我才不管什么警长！"我气急败坏地说道，"当初是警方设的这个局。他们就必须承受一切后果。"

他站起身来："稍等，先生。我想，应该告诉您一件事。"

"不会又是什么让我意想不到的事吧，嗯？"

"先生，今晚警长来酒店的时候，英国夫妇、美国人，还有杜克洛，他们都在休息区谈论您被捕的事。警长走了之后，我就自由发挥，给您的被捕找了个合理的解释，既不让您有任何的犯罪嫌疑，同时又能满足他们的好奇心。我告诉他们说，您，瓦达西先生，其实是二局反间谍处的人，您的被捕只是策划中的一个环节而已，就连警方都不十分了解您的这一特别计划，我还告诉他们，要绝对保密。"

我先是吃了一惊，随后打了个哈欠。"您指望他们相信这些胡话？"我最后问道。

他笑了："为什么不相信？您编了一个故事，说贼偷走了您的烟盒和钻石别针，他们不也相信了吗？"

"那不一样。"

"的确不一样。但无论如何，他们既然能相信那件事，就能相信这件事。要知道，他们愿意相信。那两个美国人喜欢您，可不愿意把您想成是罪犯，或是间谍。他们毫不怀疑地接受了这种说法，其余那些人也就都会相信。"

"那杜克洛呢？"

"他说他早就知道这件事了，说是您告诉他的。"

"是啊，他肯定会这么说。可是，"我正视着他的眼睛，"您为什么要编这样一个理由？我不明白您的目的是什么。"

"我是想，"他语气温和地说道，"只是想尽可能地给您减少麻烦与为难，先生。"他继续劝我说，"如果您今晚好好睡一觉，如果您明早能一直待在房间里，如果您能让我全权处理此事，我保证，您不用回答任何问题，不用作任何解释。您甚至都不用见到他们之中的任何人。"

"嗯，是这样的，科赫——"

"我明白，"他赶紧打断我，"没经过您的允许就这样跟他们说，的确不合适，可当时的情况——"

"当时的情况，"我语气严肃地打断他，"一个是小偷，一个被捕，还有一个莫名其妙地死了，一天之内发生了这么多事，肯定会对您的生意造成负面影响，于是，您就编了这么一个荒唐的故事，说我是反间谍特工。鲁死了，很快就会被人遗忘。警方也得到了满意的结果。我呢，我夹在中间左右为难。要么像个傻子一样继续撒谎，跟大家解释为什么我这个知名的反间谍特工会来储备酒店，要么我就得偷偷地从这里消失，不能让任何人看见。干得好，科赫！"

他耸了耸肩："您可以这么想。不过，我还想问您一个问题。难道您想亲自来解释这件事吗？"

"我宁愿讲实话。"

"可是警方——"

"该死的警方！"

"是的，您说得对。"他有点儿不好意思地咳嗽了一下，"我还要跟您说，是这样的，警长给您留了条信息。"

"在哪儿？"

"是口头的。他让我提醒您，在一切可能的情况下，法国公民都必须协助警方工作。他还说，他希望能尽快与国籍归化局取得联系。"

我深吸了一口气。"我猜，"我语气缓慢地说道，"您一定没跟警长提起您编的这个小故事？"

他的脸唰地一下红了："我觉得，我是顺便提过的。不过——"

"我知道了。你们俩是商量好了的。你们——"我停住了。突然间，一阵无助感涌上我心头。我累了，累了，再也不愿理会这些倒霉事。我的肋骨酸痛，头痛欲裂。"我要回去睡觉了。"我语气坚定地说道。

"我该怎样吩咐服务员，先生？"

"服务员？"

"早上好叫您起床啊，先生。他们目前所接到的指令是，对外称您已经离店，但实际上，他们会把早餐悄悄送到您的房间去，等车一到，就立即载您去土伦赶乘前往巴黎的火车，其他宾客不会看到您离开。这些指令是否需要变更呢？"

我站在那里沉默了片刻。看来一切都已经安排好了。对外称我已经离开了储备酒店。好吧——又有什么关系呢？我能想象得到，明天一早来到露台上，听见大家的惊叫声，还会有一系列的问题，紧接着又是一阵惊叫声，我给出各种解释，他们会提出更多问题，我再给出更多的解释，谎言，更多的谎言。这样反倒更轻松。当然了，科赫早就知道这些都是谎话。不过，他说得没错，是我错了。老天，我太累了！

他看着我。"怎么样，先生？"他最后说了句。

"好吧。只是，早饭别送来得太早。"

他笑了："这点您放心。晚安，先生。"

"晚安。噢，对了！"我在门口转过身，从口袋里把贝金给我的信封拿出来，"警方给我的。里面是500法郎，算是我这几天的食宿费了。我想，我应该没花那么多钱。所以，我想让您把这个信封交给海因伯格先生。他可能会用到，您说呢？"

他盯着我看了一会儿。有那么一瞬间，很有意思，我就像是在看一个演员一下子卸掉妆容，露出本来的面目一样——一位一直扮演酒店经理的演员。只见他慢慢地摇了摇头。

"您真是个慷慨大方的人，瓦达西。"这时，他再也不称我为"先生"了，"埃米尔跟我说，他跟您谈过了。我当时听了还很恼火。如今看来，是我错了。可是，他再也不需要这笔钱了。"

"可是——"

"或许几小时前，他拿到这笔钱会很高兴。但是，他明早就要回德国去了。今晚早些时候决定的，他们乘今晚9点钟的火车从土伦出发。"

"他们？"

"弗格和他的妻子会跟他一同前往。"

我没有吭声。我想不出该说什么。于是，我从桌上把信封拿起来，又放回到口袋里。科赫心不在焉地往自己的杯子里倒了些酒，举杯对着灯光，之后看着我。

"埃米尔总说，他们俩太爱笑了，"他说道，"昨天我就知道了他们的身份。当时有一封信寄到酒店。他们说是从瑞士寄来的，可上面贴的是德国邮票。他们离开房间的时候，我看了那封信的内容。信很短。上面说，如果想要更多的钱，就必须拿出直接的证据来证明。于是，他们行动了。埃米尔说得对。他们太爱笑了，而且很怪异。没有人会怀疑，他们其实居心叵测。她一直都保密。"他喝光了杯里的酒，砰的一声把杯子放到桌上。"几年前，在柏林的时候，"他说道，

"我就听说弗格夫人要举办一场钢琴独奏表演。当时，她的名字叫赫尔德·克莱默，直到今晚她弹奏钢琴的时候我才想起她这个人来。我还在纳闷，她到底经历了怎样的遭遇。现在我终于知道了。她嫁给了弗格。很奇怪，是不是？"他伸出手来，"晚安了，瓦达西。"

我们握了握手。"嗯，"我又说了一句，"希望能再来储备酒店。"

他把头探到我跟前："储备酒店一直都在。"

"您的意思是，您要离开了？"

"告诉您一个秘密，下个月我就要去布拉格了。"

"是今晚决定的吗？"

他点点头："是的。"

等我迷迷糊糊地进入房间时，写字间的时钟已经敲了两下。一刻钟之后，我就睡着了。

第二天中午，我把剩下的咖啡喝完，打包好行李，坐在床边等着。

那天天气不错。阳光明媚，石窗上的热气流向上打着旋儿，微风吹过，海面稍现波澜。红色的石头闪着光。花园里，蝉儿在高声歌唱。海滩上，有两双深褐色的腿正从一顶硕大的条纹遮阳篷下伸出来。下面那片露台上，杜克洛先生正在跟几位新到的宾客攀谈，那是一对中年夫妇，还没来得及换下身上的旅行装。杜克洛一边说，一边将胡子，又扶了扶夹鼻眼镜。那对夫妇正在认真地听他讲。

这时，有人敲门。我开门一看，是一名服务员。

"先生，车到了。您该出发了。"

就这样，我离开了酒店。后来，我上了火车，在车上望见了储备酒店的屋顶。我惊奇地发现，藏身于树丛中间的储备酒店，看上去显得那么渺小。

读客®
悬疑文库
认准读客读悬疑，本本都是大师级。

专注出版英、美、日、意、法等世界各国各流派的顶尖悬疑作品。

为读者精挑细选，只出版两种作品：
经过时间洗练，经典中的经典；以及口碑爆表、有望成为经典的当代名作。

跟着读客悬疑文库，在大师级的悬疑作品中，
经历惊险反转的脑力激荡，一窥人性的善恶吧。